PHL
WITHDRAWN
54060000292184

KT-414-285

Sur les traces des...

DIEUX D'ÉGYPTE

GALLIMARD JEUNESSE

ISBN 2-07-054595-4

Loi n° 49-956 du 16 juillet 1949 sur les publications destinées à la jeunesse.

Dépôt légal : septembre 2001 - N° d'édition : 99245
Photogravure : André Michel
Imprimé par EuroGrafica

Sur les traces des...

DIEUX D'ÉGYPTE

raconté par Olivier Tiano
illustré par Christian Heinrich

GALLIMARD JEUNESSE

Sur les traces des...

DIEUX D'ÉGYPTE

Le dieu Rê

De toute éternité était le Noun, quand ni le ciel ni la terre n'existaient, quand la mort elle-même n'existait pas. Seul le Noun habitait l'univers, telle une étendue infinie d'eau qu'aucune lumière n'éclairait et que rien ne venait troubler.

Au sein du Noun résidait **Atoum-Rê**. Au commencement, il dit :

– Je suis **Khépri**. Je fais jaillir du Noun la colline première sur laquelle je culmine, je suis **Rê**.

Ainsi Rê fut-il le premier, le père de tous les dieux.

Atoum, Khépri, Rê : les Égyptiens voyaient le soleil sous trois formes. Khépri, le soleil levant, Rê, le soleil à son zénith, et Atoum, le soleil couchant.

Alors il cracha une première fois et de sa salive naquit Chou. Puis il cracha une seconde fois et de sa salive naquit Tefnout, la sœur de Chou. Mais ceux-ci s'éloignèrent de lui et son cœur en fut triste.

Il pleura et de ses larmes naquirent les hommes. Il les fit différents : hommes du pays d'Égypte, Asiatiques, Nubiens, Libyens. Il leur dit :

– Je ferai pour vous la terre et le ciel, la végétation et les animaux, les oiseaux et les poissons, afin que vous puissiez vivre et vous multiplier.

Puis Rê dit à son œil droit :

– Va et retrouve mes enfants !

Et l'œil parcourut l'univers et les lui ramena. Puis Rê dit à ses enfants :

– Créez la terre et le ciel !

Et de Chou et Tefnout naquirent **Geb** et **Nout**. Geb envahit l'univers et repoussa le Noun, mais Rê fit que le Noun, le père des dieux, jaillisse de la terre comme le Nil en Égypte et que chaque année il inonde le pays.

Alors Rê dit à son fils Chou :

– Va séparer la terre du ciel !

Et **Chou** se plaça entre Geb et Nout et créa les huit Héhou, les quatre paires de piliers qui soutiennent le ciel et le séparent de la terre.

Enfin, de Geb et de Nout naquirent Osiris, Haroéris, Seth, Isis et Nephthys. Geb donna à Osiris la terre d'Égypte, à Seth les déserts qui l'entourent et à Haroéris l'espace lumineux, et Isis épousa son frère Osiris tandis que Nephthys épousait son frère Seth.

Geb : le dieu de la terre.
Nout : la déesse du ciel.
Chou : l'air lumineux qui sépare la terre et le ciel.

Ainsi en fut-il de la création des dieux et des hommes, et des terres sur lesquelles ils vivent, et des animaux qui peuplent les mers et les

airs et qui courent sur la terre, telle que nous la rapportent les serviteurs du dieu Atoum-Rê en son palais d'Héliopolis.

Alors que Rê était le roi des hommes et des dieux, il advint que les hommes se mirent à comploter contre lui car ils savaient que Sa Majesté vieillissait. Mais Rê eut connaissance de ce qui se préparait contre lui en son palais d'Héliopolis. Il s'adressa à eux en ces mots :

– Convoquez Chou et Tefnout, Geb et Nout, ainsi que mon père Noun et tout son entourage. Qu'ils viennent en mon palais, afin de me donner leurs conseils.

Lorsque tous ces dieux furent en sa présence, il leur dit :

– Ô dieu du premier temps, ô dieux **primordiaux**, voici que les hommes, les larmes de mon

Primordial : qui est le plus ancien.

œil, complotent contre moi. Dites-moi ce que vous feriez dans une telle situation. Ma colère est grande, mais je ne veux pas les tuer tant que je n'aurai pas entendu ce que vous pouvez me dire à ce propos.

– Ô mon fils Rê, lui répondit Noun, ton trône est bien établi et grande est la crainte que tu inspires. Envoie donc ton œil vers ceux qui complotent contre toi.

Rê dit alors :

– Regardez les hommes, ils ont eu connaissance de notre réunion et déjà ils s'enfuient vers le désert, le cœur plein de frayeur.

– Envoie ton œil à leur poursuite, lui dirent les dieux, qu'il les rattrape et les abatte pour toi, eux qui projettent des actions mauvaises. Ton œil est sans pareil pour inspirer la terreur. Qu'il prenne la forme de la déesse lionne, de Sekhmet la terrible, et qu'elle descende vers eux afin de les pourchasser et de les tuer.

Alors la déesse descendit sur la terre et se rendit au désert où les hommes s'étaient enfuis afin de se dérober à la colère de Rê. Mais nul ne pouvait lui échapper tant sa fureur était grande.

Après que Sekhmet eut accompli un grand massacre d'hommes, Rê envoya un messager pour lui dire :

– Reviens en paix auprès de moi, toi qui as accompli ma vengeance.

Mais la déesse lui fit répondre :

– Aussi vrai que tu es Rê, j'ai effrayé les hommes, j'ai goûté à leur sang et j'y ai pris plaisir.

– Cela suffit, lui dit alors Rê. Tu as tué assez d'hommes et ceux qui restent ne sont pas tous coupables.

Mais Sekhmet refusa de se soumettre à son père et s'éloigna dans le désert, bien décidée à reprendre sa terrible besogne dès le lever du jour.

Rê retourna en son palais d'Héliopolis et ordonna que l'on dépêche des messagers vers **Éléphantine** afin qu'ils en rapportent une grande quantité d'une substance appelée « didi », à la couleur semblable à celle du sang. En même temps, il fit brasser de grandes quantités de bière. Lorsque ce fut fait, on mêla à cette bière un peu de ce « didi » afin de la colorer en rouge. De ce mélange on remplit plus de sept mille **jarres** qui furent transportées non loin de l'endroit où la déesse dormait.

Éléphantine : à l'extrémité sud du royaume (aujourd'hui Assouan), d'où étaient censé jaillir le Nil et la crue annuelle.
Jarre : long récipient destiné à conserver des liquides.
Hathor : déesse de la joie et de la musique. Sekhmet représente son aspect terrifiant.

À l'aube, lorsque la déesse se réveilla, elle se retrouva devant un grand lac de couleur rouge qu'elle prit pour du sang. Elle y goûta et s'en régala si bien qu'elle en but jusqu'à l'ivresse et, le cœur content, ne pensa plus aux hommes.

Aussi Rê ordonna-t-il que désormais, chaque année, au moment de la fête d'**Hathor**, on brassât de grandes quantités de cette boisson qui enivre et qui apaise le cœur, afin que plus jamais elle ne trouve goût au sang des hommes.

LES DIEUX DE L'ÉGYPTE ANCIENNE sont innombrables. Chaque ville possède son temple avec ses divinités dont l'importance varie suivant les époques. Certains dieux, comme Osiris, le dieu des morts, son épouse Isis et leur fils Horus ont été reconnus par l'ensemble du pays et ont traversé les temps.

Amon

Isis

Nout, Chou et Geb

Selqet

Chou
Dieu de l'espace aérien, il est représenté ici dans sa barque. Au-dessus de lui se trouve la déesse du Ciel, **Nout**, tandis qu'au-dessous est allongé le dieu de la Terre, **Geb.**

Amon
C'est le grand dieu de Thèbes qui deviendra le protecteur de toute l'Égypte. On lui construit d'immenses temples et on lui offre des trésors par milliers. En échange, il apporte victoires et richesses au pays.

Isis
Sœur et femme d'Osiris, elle est l'image de l'épouse et de la mère parfaite. Elle est adorée par les Égyptiens pour ses pouvoirs magiques.

Selqet
Déesse scorpion, toujours représentée coiffée de son animal, elle est une des protectrices des viscères du mort, plus particulièrement des intestins.

Osiris
Toujours représenté comme une momie dont seules les mains ressortent et tiennent les deux sceptres de la royauté, il est le dieu des morts.

« Ainsi Atoum fut-il le premier, le père de tous les dieux. »

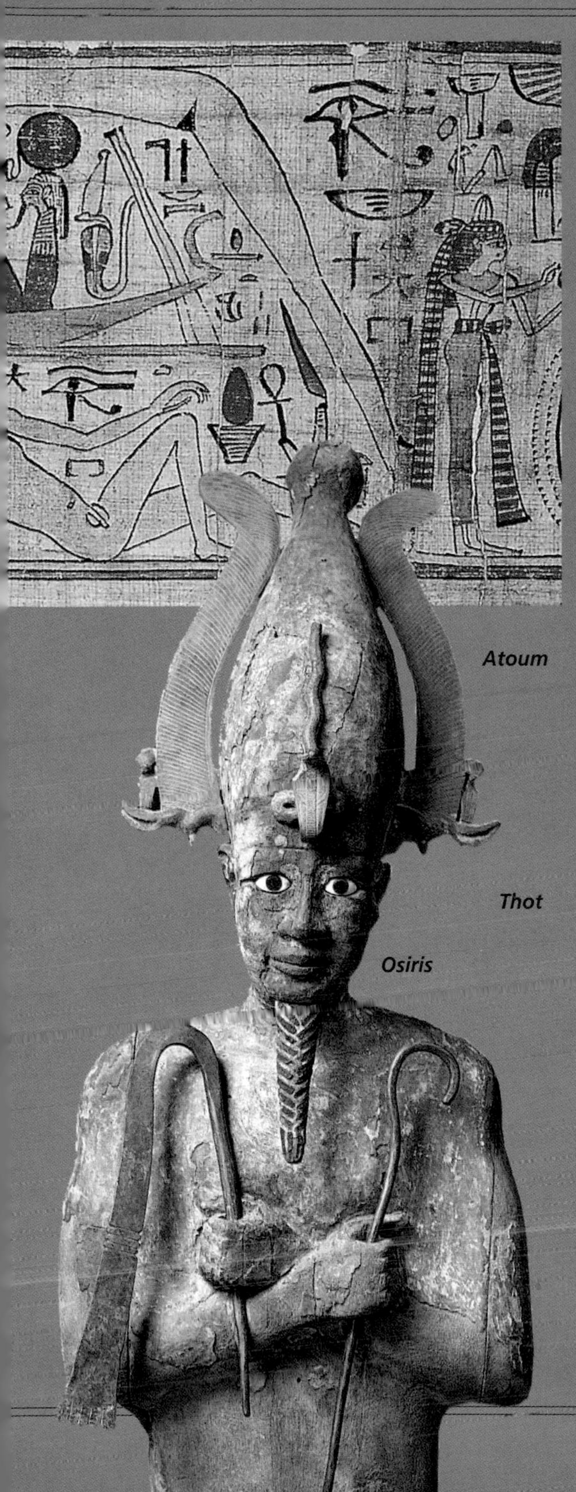

Atoum

Thot

Osiris

Thot
Vizir du dieu soleil Rê, il le remplace sur terre pendant que le dieu disparaît dans le monde de la nuit. Il devient responsable de la lune, dont il porte le croissant sur la tête.

Le jour et la nuit
Pour expliquer la succession du jour et de la nuit, les Égyptiens ont imaginé que la déesse du ciel, **Nout**, avalait le soleil le soir et lui redonnait naissance le matin. Sur cette représentation, une dame fait des offrandes au dieu **Atoum**, le soleil couchant, coiffé de la double couronne de Haute et de Basse-Égypte.

La quête d'Isis

Nout, dit-on, avait eu une relation secrète avec son frère Geb, et en avait conçu des enfants.

Osiris naquit le premier jour. Haroéris, Horus l'ancien, le deuxième jour. Seth, dont on dit qu'il déchira le flanc maternel pour sortir, le troisième. Isis, le quatrième. Et, enfin, Nephthys, le cinquième.

Osiris épousa sa sœur Isis et il devint le premier roi du pays d'Égypte. Il arracha les premiers Égyptiens à leur vie de chasseurs et de nomades en leur apprenant à utiliser les bienfaits du Nil et de sa crue annuelle. Il leur enseigna la culture de la terre et l'élevage du bétail. Il leur offrit la vigne et leur transmit l'art de faire du vin. Il leur donna des lois et leur apprit à respecter les dieux. Puis quand il en eut fini avec le peuple de la vallée du Nil, il parcourut le monde entier et fit de même avec tous les hommes. Tout ce qu'il faisait, il le faisait hors de toute violence, par la persuasion et l'amour.

Mais, hélas, Seth devint peu à peu jaloux de son frère et de l'affection que tous lui portaient. Profitant de l'absence d'Osiris, il réunit autour de lui un groupe de soixante-douze **conjurés** et prépara un complot afin de se débarrasser de lui et de s'emparer de son royaume.

Conjuré : membre d'une conspiration.

Il avait en secret pris les mesures de son frère et avait fait réaliser un coffre à sa taille. C'était un meuble magnifique en bois de cèdre incrusté d'ébène et d'ivoire.

Au retour d'Osiris, Seth l'invita à un grand banquet auquel assistaient tous les autres conjurés. Puis, lorsque tous eurent bien mangé et bien bu, il fit apporter le coffre. Tous admirèrent sa beauté et la perfection du travail accompli. Seth promit alors, en plaisantant, qu'il en ferait cadeau à celui qui, en s'y couchant, le remplirait exactement.

Les uns après les autres, tous l'essayèrent, mais le coffre était trop grand pour eux. Lorsque ce fut le tour d'Osiris, il y entra et s'y étendit de tout son long. Au même instant, Seth et ses complices se précipitèrent et refermèrent le couvercle qu'ils clouèrent et scellèrent avec du plomb fondu. Quand ce fut fait, ils portèrent le coffre vers le fleuve et l'y jetèrent afin qu'il fût emporté jusqu'à la mer et s'y perdît.

Lorsque Isis apprit que son mari avait été tué par Seth et que son corps avait disparu, elle alla trouver sa sœur

Nephthys et toutes deux revêtirent des vêtements de deuil, se mirent la chevelure en désordre et se lamentèrent ainsi :

« Ô bel adolescent, reviens en ta demeure,
Depuis longtemps nous ne t'avons pas vu.
Ô bel adolescent parti soudainement,
Jeune homme vigoureux parti avant l'heure,
Premier sorti du ventre de notre mère,
Reviens vers nous en ta forme première,
Nous t'enlacerons et tu ne t'éloigneras pas de nous. »

Puis Isis décida de partir à la recherche d'Osiris, et, en compagnie d'**Anubis**, elle se mit à parcourir le pays en descendant le Nil. À chaque fois qu'elle rencontrait quelqu'un, elle lui demandait :

– Avez-vous vu ou entendu parler d'un grand coffre emporté par le fleuve ?

Un jour enfin, de jeunes enfants qui gardaient les troupeaux dans les régions marécageuses du Delta vinrent vers elle et lui dirent :

– Nous savons qu'un coffre merveilleux a été aperçu sur le bras oriental du Nil. Il flotte maintenant vers la mer.

Ayant atteint l'embouchure du fleuve sans avoir rien trouvé, Isis apprit alors que les courants portaient souvent tout ce qui flottait vers les côtes de la **Phénicie**.

Anubis : dieu représenté avec une tête de chien noir. Il est chargé de la momification.
Phénicie : région correspondant au littoral libanais actuel.

Et c'est bien ce qui s'était passé : le coffre avait lentement dérivé vers la ville de **Byblos** et le flot l'avait alors déposé sur le rivage, au pied d'un **tamaris**. Or, ce tamaris s'était développé de façon extraordinaire. Ses racines avaient enveloppé le coffre et l'avaient peu à peu caché au cœur même de l'arbre. Émerveillé par l'extraordinaire croissance du tamaris, le roi de Byblos avait ordonné de le couper, et de faire de son tronc une colonne pour son palais.

Dès qu'elle eut pris connaissance de cette histoire, Isis se rendit à Byblos. Une fois arrivée, elle s'assit, en pleurs, auprès d'une fontaine, sans adresser la parole à personne. Lorsque vinrent à passer les servantes de la reine, elle les salua et leur parla avec bienveillance. Elle s'offrit à leur tresser les cheveux et à enduire leurs corps d'**onguents**.

Byblos : une des villes de Phénicie.
Tamaris : arbre utilisé pour faire des meubles et des statues.
Onguents : crèmes parfumées, utilisées par les hommes et les dieux.

Quand les servantes regagnèrent le palais, la reine remarqua leurs nouvelles coiffures et le parfum divin que répandaient leurs corps. Elle eut aussitôt envie de rencontrer l'étrangère grâce à qui ce miracle avait été possible. Elle l'envoya chercher et en fit aussitôt son amie intime.

Comme la reine venait d'avoir un enfant, elle nomma Isis nourrice royale et la chargea de prendre soin de son fils. Pour le calmer, Isis lui donnait à sucer son doigt et, la nuit, lorsque le palais était endormi, elle le purifiait par le

feu afin de chasser de son corps les démons qui blessent les mortels. Parfois aussi elle se transformait en hirondelle et voletait en gémissant autour de la colonne qui soutenait le toit du palais.

Cela dura jusqu'à ce qu'une nuit la reine surprît Isis en train de pratiquer ses rites de purification sur son fils. Effrayée, elle interrompit la déesse en poussant de grands cris. Afin de l'apaiser, Isis se montra dans toute sa splendeur divine et lui révéla son nom. Éblouie, la reine se prosterna et implora le pardon de la déesse.

Isis lui demanda alors la colonne qui supportait le toit du palais. Seule, sans aucune aide, elle coupa le tronc du tamaris et le remplaça par celui d'un grand cèdre grâce à la puissance de sa magie. Puis elle ouvrit le tamaris et en retira le cercueil. Sitôt qu'il apparut, elle se jeta sur lui en gémissant. Elle le fit envelopper dans une toile de lin fin et le fit porter sur un navire pour le ramener en Égypte. Quant au tronc lui-même, elle l'**oignit** de parfums et le donna au roi et à la reine pour qu'ils l'adorent dans leur ville de Byblos.

Dès qu'Isis fut arrivée en Égypte, elle cacha le coffre dans un endroit désert du Delta, sur une butte de terre entourée d'eau et couverte de roseaux de grande taille. Là, elle ouvrit le coffre et quand elle vit le corps de son époux, elle appliqua son visage contre le sien, l'embrassa et le pleura. Lorsqu'elle eut cessé de se lamenter, elle se transforma en hirondelle et vint se poser sur le corps inanimé. Le battement de ses ailes produisit un souffle de vie qui ranima Osiris et elle en conçut un fils, Horus. Seule, loin de tous, elle lui donna naissance sur cet îlot perdu au milieu des marécages.

Lorsque son fils fut assez grand et qu'elle eut fini de l'allaiter, Isis alla le confier à la déesse **Ouadjit**, dans la ville de Bouto, afin de le mettre à l'abri de Seth qui ne manquerait pas de le rechercher pour le tuer s'il en connaissait l'existence. Elle passa ainsi de nombreuses années dans sa

Oindre :
frotter avec du parfum ou de l'huile.
Ouadjit :
une déesse serpent, cobra, originaire de la ville de Bouto dans le Delta. Elle est la déesse de la Basse-Égypte.

retraite, auprès du corps d'Osiris, ne s'en éloignant que pour aller voir son fils qui grandissait loin d'elle.

Un jour, cependant, alors qu'elle s'était absentée, il advint que Seth, devenu roi à la place d'Osiris, s'en alla chasser dans les marais du Delta. Là, par hasard, il tomba sur le coffre contenant le corps de son frère et reconnut celui-ci. Fou de colère, il détruisit le corps en le coupant en quatorze morceaux qu'il jeta vers le ciel afin qu'ils s'éparpillent à travers tout le pays et que nul ne puisse jamais les réunir.

De retour dans sa cachette, Isis retrouva le cercueil de son mari vide. Les tissus précieux qui enveloppaient le corps jonchaient le sol, déchirés, témoignant de la fureur de Seth. De nouveau elle partit à la recherche du corps mais cette fois-ci il lui fallut retrouver tous les morceaux

dispersés sur toute la vallée du Nil. Ainsi, elle retrouva la tête dans la ville d'Abydos, en Haute-Égypte, tandis que la colonne vertébrale était à Bousiris, en Basse-Égypte. Et chaque fois qu'elle découvrait un morceau, elle le recueillait et élevait sur place un monument en forme de tombeau, une butte de terre au sommet arrondi sur laquelle elle plantait quatre arbres qui, en s'épanouissant, symboliseraient la résurrection d'Osiris.

Ainsi, peu à peu, elle réussit à rassembler tous les tronçons du cadavre, à l'exception d'un seul, son sexe, qu'un **oxyrhynque** avait avalé. Puis, aidée d'Anubis, elle reconstitua le corps d'Osiris, qu'elle enduisit de parfums précieux et qu'elle enveloppa de bandelettes afin de lui rendre son apparence première et de lui permettre de revivre pour l'éternité.

Oxyrhynque : poisson qui était vénéré dans l'ancienne Égypte.

D'ASSOUAN AU DELTA, le Nil irrigue l'Égypte et lui offre un limon fertile. Hors de cette étroite bande de terre qui longe le fleuve, le pays est constitué de sols désertiques.

L'ibis sacré
Il a aujourd'hui disparu de la vallée du Nil. Les Égyptiens en avaient fait un des deux animaux sacrés de Thot, surtout adoré à Hermopolis où les prêtres avaient imaginé que le dieu, sous sa forme d'ibis, avait créé le monde en venant pondre un œuf d'où devait sortir le soleil.

Ibis

Le vautour égyptien
Il vit surtout aujourd'hui dans le sud du pays. Curieusement, il n'est lié à aucune divinité, mais est utilisé comme signe hiéroglyphique.

“Osiris arracha les premiers Égyptiens à leur vie de chasseurs et de nomades en leur apprenant à utiliser les bienfaits du Nil et de sa crue anuelle.”

La vallée du Nil aujourd'hui

Le crocodile
Il ne hante plus les rives du Nil au nord d'Assouan depuis la construction du barrage.

Le dieu Sobek
Le crocodile était associé au dieu Sobek, dieu des eaux et de la fertilité. Coiffé du disque solaire, il est adoré sous le nom de Sobek-Rê.

Crocodile

Sobek

Hippopotame

L'hippopotame
L'hippopotame ne vit plus en Égypte. Il a dû paraître terrifiant aux Égyptiens de l'Antiquité qui l'attaquaient depuis leurs frêles barques de papyrus.

L'hippopotame et les dieux
En raison de ses rondeurs, la femelle est associée à la déesse Thouéris, qui veille sur la femme enceinte et sur l'accouchement. Comme il peut aussi être dangereux, l'hippopotame est craint : on l'associe alors au dieu Seth et au désordre.

Seth contre Horus

En son palais d'Héliopolis, Rê, le grand dieu, le maître de l'univers, avait réuni sa cour de justice afin de départager Horus et Seth, deux grands dieux parmi les dieux. Tous deux réclamaient l'héritage d'Osiris, dieu grand et roi sur terre.

Horus était le fils d'Osiris, né de la déesse Isis, bel adolescent aimé de tous les dieux.

Seth était le frère d'Osiris, oncle d'Horus, dieu des déserts et guerrier puissant.

Au côté de Rê se tenait Thot, son **vizir**, le maître de l'écriture.

Vizir : haut dignitaire, sorte de Premier ministre.

Seth intervint :

– Qu'on envoie Horus dehors avec moi et je prouverai que je suis le plus fort !

Mais Thot lui répondit :

– Ne chercherons-nous pas plutôt à savoir où se situe la justice ? Allons-nous donner l'héritage d'Osiris à Seth alors que son fils Horus est là, bien vivant ?

Seth, le dieu de la colère et de l'orage, se leva et dit :

– Je suis Seth, le plus puissant de tous les dieux. Je dois donc recueillir l'héritage d'Osiris.

Brouhaha : bruit que font plusieurs personnes parlant en même temps.

Un **brouhaha** s'éleva dans l'assemblée des dieux. Certains hurlaient :

– Seth, fils de Nout, a raison ! Qu'on lui donne le trône ! Va-t-on donner le trône à un jeune enfant, alors que son oncle est plus fort et plus expérimenté ?

D'autres criaient :

– Va-t-on donner la fonction à l'oncle alors que le fils, issu de la chair de son père, est là ?

Quant à Horus, lorsque vint son tour de prendre la parole, il dit :

– Certes, je suis jeune et je n'ai pas la rage de mon oncle Seth. Mais il ne serait pas juste que l'on m'enlevât l'héritage de mon père Osiris !

Et sa mère Isis prit à son tour le parti de son fils et s'adressa aux dieux pour qu'ils soutiennent Horus. Seth comprit qu'il avait tout à craindre des paroles et des ruses de la déesse. Alors, il se tourna vers Rê, le maître de l'univers, qui présidait le tribunal divin et lui dit :

– Je ne discuterai plus de cette affaire tant qu'Isis, la grande magicienne, se trouvera ici. Qu'on l'éloigne de cette cour !

Rê lui répondit :

– Soit ! Allez tous dans l'île du Milieu ! Jugez ces deux

hommes et dites à Ânti, le **passeur**, de refuser la traversée à Isis ou à toute femme qui pourrait lui ressembler !

Passeur : personne qui conduit un bac pour faire traverser un cours d'eau.

Accoster : s'approcher d'une côte.

Le tribunal tout entier se déplaça donc dans l'île du Milieu, où nul ne pouvait **accoster**.

Isis ne renonça pas à défendre son fils et inventa une nouvelle ruse : elle se transforma en très vieille femme. Elle tenait un sac de pains, et portait un petit anneau d'or à la main. S'approchant d'Ânti, le passeur, elle lui dit :

– Voilà cinq jours que mon fils garde ses troupeaux dans l'île et il n'a plus de pain car nul ne peut plus y accoster.

Ânti lui répondit :

– Je ne peux rien faire pour toi, on m'a dit de ne laisser passer aucune femme.

Isis lui dit alors :

– C'est Isis que tu ne dois pas laisser passer. Moi, je ne suis qu'une vieille femme qui craint pour la vie de son fils, un pauvre petit gars qui garde nos bêtes sur cette île.

– Et que me donneras-tu pour te laisser passer, vieille femme ? lui demanda Ânti.

– Je te donnerai une miche de ce bon pain tout frais.

– Qu'est-ce qu'une miche de pain ? On m'a ordonné de ne laisser passer aucune femme, rétorqua Ânti.

– Alors je te donnerai mon anneau d'or, lui dit Isis. Qu'est-ce que l'or à côté de la vie de mon fils unique ?

Et Ânti prit l'anneau d'or, fit monter Isis dans sa barque et l'emmena sur l'île.

Tandis qu'elle s'avançait sous le couvert des arbres, elle vit, assis dans une clairière, les dieux réunis autour de Rê qui écoutaient attentivement les arguments développés par Horus et Seth. Lorsqu'elle vit que le regard de Seth, attiré par ses mouvements, se dirigeait vers elle, elle prononça une formule magique et se transforma immédiatement en une jeune fille si belle qu'aucune autre fille d'Égypte ne pouvait lui être comparée. Seth, la voyant, en eut le cœur empli de désir. Discrètement, alors que les juges écoutaient Horus, il s'éloigna de l'assemblée, alla la rejoindre derrière un **sycomore** et lui dit :

Sycomore : arbre utilisé pour faire des meubles et des statues. Il est lié aux déesses Hathor et Nout.

– Je voudrais être avec toi, belle enfant, et passer en ta compagnie d'agréables instants.
La jeune femme lui répondit alors :

– Comment pourrais-je songer à me divertir, seigneur ? J'étais la femme d'un berger et eus avec lui un fils. Lorsque mon époux mourut, mon fils prit sa succession et s'occupa du bétail. C'est alors qu'un étranger se présenta et menaça mon fils de lui prendre son troupeau et de nous chasser de notre maison. Je t'en supplie, seigneur, prends notre défense !

Et Seth, aveuglé par le désir qu'il avait de cette femme, lui répondit :

– Ta cause est juste. Un étranger peut-il s'emparer du bien d'un homme mort alors que son fils est vivant ?

Isis se changea alors en **milan** et se percha au sommet de l'arbre.

Milan : oiseau rapace d'assez grande taille.

– Pleure sur toi-même, dit-elle à Seth. Ta propre bouche vient de parler contre toi. Tu t'es jugé toi-même.

Comprenant qu'il avait été joué, Seth retourna vers le tribunal et il raconta à Rê toute l'histoire.

Alors Rê lui dit :

– Eh bien, vois, c'est toi qui t'es jugé toi-même ! Que veux-tu encore ?

S'adressant aux juges, il ajouta :

– N'avez-vous pas entendu ? Que faites-vous à discuter encore ? Mettez le jugement par écrit et posez la couronne d'Osiris sur la tête d'Horus, son fils !

Devant la décision de Rê, Seth fut pris d'une immense rage et hurla :

– Ne donnez pas la couronne à Horus, mais laissez-nous nous affronter et que le plus fort de nous deux l'emporte !

Et Rê, dont le cœur penchait du côté de Seth, accepta.

Seth fit alors face à Horus et lui lança un défi :

– Viens, transformons-nous en deux hippopotames et plongeons dans les flots. Celui qui **émergera** avant trois mois pleins perdra le trône.

Alors que les deux adversaires se transformaient en hippopotames et plongeaient, Isis se mit à craindre pour la vie d'Horus. Elle alla chercher une corde et y attacha un **harpon** de cuivre qu'elle lança dans l'eau, là où les deux ennemis

Émerger : sortir de l'eau.
Harpon : arme en forme de flèche utilisée pour chasser les gros poissons.

avaient plongé. Mais le harpon vint se ficher dans le corps d'Horus qui cria :

– Au secours, Isis ma mère ! Au secours ! Ordonne à ton harpon de se détacher de moi. Je suis Horus, ton fils.

Isis poussa un cri et ordonna au harpon de se détacher du corps de son fils. Puis elle le jeta à nouveau et, cette fois, il vint toucher Seth qui poussa un grand cri et l'implora :

– Que t'ai-je fait, ma sœur Isis ? Je suis ton frère, né de la même mère. Ordonne à ton arme de se détacher de moi.

Isis, prise de pitié, enjoignit à son harpon de se détacher de Seth. Thot s'adressa alors à Rê :

– Les violences ont assez duré ! Fais envoyer une lettre à Osiris, qui règne maintenant sur le royaume des morts, pour qu'il choisisse son héritier.

On écrivit la lettre et on l'adressa à Osiris, dans l'**Amenti**. Celui-ci y répondit en toute hâte :

Amenti, ou Occident : royaume des morts sur lequel règne Osiris depuis qu'il a été tué par Seth.

« Pourquoi fait-on du mal à mon fils Horus ? N'est-ce pas moi qui vous ai nourris quand je régnais sur la terre ? N'est-ce pas moi qui ai inventé l'orge et le froment, qui ai appris aux hommes à garder le bétail, pour que chaque jour des offrandes soient déposées dans vos demeures ? N'est-ce pas moi qui ai appris aux hommes à cultiver et à tisser le lin pour que vous soyez vêtus ? N'est-ce pas moi encore qui leur ai montré où trouver l'encens qui réjouit vos narines ? Pourquoi ne faites-vous pas régner la justice sur terre ? Le pays dans lequel je demeure désormais est empli de génies au visage farouche qui ne craignent personne. Que je les fasse sortir et ils me ramèneront le cœur de tous ceux qui commettent de mauvaises actions ! N'oubliez pas que dans l'Amenti, mon royaume, tous les dieux et les hommes viendront un jour se reposer ! N'oubliez pas que sans la justice il n'est pas d'ordre ! Donnez à mon fils Horus le trône de son père afin que Maât, la déesse de la vérité et de la justice, soit satisfaite ! »

Ayant reçu cette lettre, Rê la lut devant les juges de la grande cour divine et tous ensemble ils convoquèrent les deux adversaires.

– Pourquoi t'opposes-tu à ce que vous soyez jugés et cherches-tu à t'emparer de ce qui appartient à Horus ? demanda Rê à Seth.

– Il n'en est rien, seigneur, maître de l'univers, répondit Seth. Qu'on appelle Horus, le fils d'Isis et d'Osiris, et qu'on lui donne le trône de son père !

On alla donc chercher Horus, on lui posa la couronne sur la tête et on le mit sur le trône de son père en lui disant :

– Tu es le roi parfait de la terre aimée des dieux, tu es le seigneur de tous les pays jusqu'à la fin des temps !

Puis Rê dit :

– Quant à Seth, fils de Nout, qu'on me le confie afin qu'il demeure près de moi. Il sera à mes côtés comme un fils. Il sera comme le tonnerre, il hurlera et fera trembler mes ennemis.

Et, se tournant vers l'assemblée des dieux, il ajouta :

– Réjouissez-vous car Horus apparaît en souverain. Acclamez-le ! Inclinez-vous jusqu'à terre devant Horus, fils d'Isis.

LE TEMPLE ÉGYPTIEN est la demeure, le palais du dieu. N'y entrent que les prêtres, les «serviteurs du dieu», et le premier d'entre eux, le pharaon. C'est un endroit clos par de hauts murs et de lourdes portes. Passé une première cour à ciel ouvert, tout devient toujours plus fermé, plus mystérieux, jusqu'au naos, où demeure le dieu (en fait sa statue).

Le temple d'Edfou
Situé entre Louqsor et Assouan, palais du dieu Horus, c'est le temple le mieux conservé de tout le pays.

« Réjouissez-vous car Horus apparaît en souverain. Acclamez-le ! »

Encensoir

Les offrandes
Le dieu, vivant dans sa statue, était nourri trois fois par jour par des offrandes (boissons et aliments). Bien sûr, il ne consommait que l'essence de ces produits, lesquels étaient ensuite répartis entre tous ceux qui entretenaient le temple.

L'encens
Il était brûlé à l'intérieur du temple, mais aussi à l'extérieur lors des processions.

Porteuses d'offrandes

Temple d'Edfou

Dieu Nil faisant une offrande

Hâpi et Maât
Le dieu Hâpi, à la poitrine pendante, symbole de fertilité, est la déification de la crue du **Nil**. La déesse Maât, coiffée de la plume d'autruche qui sert à écrire son nom, est l'incarnation de la vérité et de la justice, la garante de l'ordre politique que chaque homme doit respecter.

Maât

Des contes pour le roi Chéops

Dans son palais, Sa Majesté, le roi de Haute et Basse-Égypte, **Chéops**, s'ennuyait. Il errait d'une pièce à l'autre sans réussir à se distraire. Alors il fit venir ses fils auprès de lui et les pria de le divertir en lui contant des récits merveilleux.

Le fils du roi, Chéphren, se leva et dit :

– Je vais raconter à Sa Majesté une histoire merveilleuse qui est arrivée au temps du roi Nebka.

« Lorsque Sa Majesté se rendait au temple de Ptah à **Ânkh-Taoui**, il demandait chaque fois que l'accompagnât le prêtre-lecteur en chef, Oubaoner.

« Or, un jour, la femme de celui-ci profita de l'absence de son mari pour séduire un homme du voisinage. Comme il y avait un pavillon dans le jardin, la femme demanda à son serviteur de le lui préparer afin qu'elle puisse y recevoir l'homme et s'y distraire en sa compagnie. Ainsi, lorsque l'homme arriva, la femme le reçut dans le pavillon et ils

Chéops : il régna vers 2589-2566 av. J.-C. Il est le constructeur de la grande pyramide de Giza.

Ânkh-Taoui : ville de Memphis, capitale du pays à cette époque.

burent et passèrent la journée ensemble. Lorsque le jour tomba, l'homme alla se baigner dans l'étang qui était à proximité du pavillon.

« La femme prit la fâcheuse habitude de recevoir l'homme chaque fois que son époux s'absentait pour accomplir ses devoirs dans le temple de Ptah. Le serviteur, qui était resté fidèle à son maître, décida alors de prévenir celui-ci. Lorsque Oubaoner eut entendu le récit de son serviteur, il fabriqua un crocodile de cire, de **sept pouces** de long, et récita sur la statuette une formule magique :

« – Empare-toi de quiconque viendra se baigner dans mon étang, et notamment de cet homme que ma femme appelle dès que je m'absente.

« Puis il donna le crocodile au serviteur, en lui ordonnant de le jeter dans le lac dès que l'homme y descendrait.

« Le lendemain, alors qu'Oubaoner était au temple de Ptah, la femme fit appeler l'homme et, comme les autres jours, ils passèrent la journée ensemble. Lorsque la nuit arriva, l'homme alla se baigner dans l'étang. Suivant les ordres de son maître, le serviteur jeta le crocodile de cire derrière lui. Alors, l'animal devint soudain un crocodile de **sept coudées**, qui se saisit de l'homme et l'entraîna au fond de l'eau.

Sept pouces : environ 13 cm.
Sept coudées : environ 3,65 m.

« Quelque temps plus tard, le roi Nebka décida de rester sept jours entiers dans le temple de Ptah avec Oubaoner. Après ces sept jours, alors que le roi s'apprêtait à rentrer au palais, Oubaoner se plaça devant lui et lui dit :

« – Que Sa Majesté daigne venir avec moi voir une merveille !

« Le roi accepta. Lorsqu'ils furent arrivés chez Oubaoner et qu'ils furent devant l'étang, Oubaoner appela le crocodile et lui ordonna d'amener l'homme ; l'animal sortit de l'étang, tenant dans sa gueule l'homme qui respirait encore.

« Quand Nebka vit ce prodige, il s'émerveilla. Oubaoner se baissa, saisit l'animal qui redevint en sa main un crocodile de cire, puis il conta au roi ce qu'avait commis cet homme **vil** dans sa propre maison avec sa femme. Sa Majesté dit au crocodile :

« – Emporte ce qui est désormais ton bien !

« Le crocodile redescendit dans le fond de l'étang, et l'on ne sut jamais où il était allé avec sa prise. Puis Sa Majesté fit saisir l'épouse d'Oubaoner et la fit mettre à mort.

Chéops avait écouté avec attention cette histoire. Il dit :

– Que l'on donne en **offrande** mille pains, cent cruches de bière, un bœuf et deux mesures d'encens au roi de Haute et de Basse-Égypte, Nebka. En même temps, que l'on donne un pain, une cruche de bière, un morceau de viande et une mesure d'encens au prêtre-lecteur en chef Oubaoner, car j'ai pu constater l'étendue de son savoir.

Vil : méprisable.
Offrande : dons destinés ici aux chapelles funéraires de Nebka et d'Oubaoner.

Ce fut alors à Baouefrê d'essayer de divertir Chéops. Il se leva et dit :

– Voici une autre histoire merveilleuse, qui est arrivée au temps du roi Snéfrou, et qui fut le fait du prêtre-lecteur en chef, Djadjaemânkh.

« Un jour que le roi Snéfrou parcourait toutes les pièces de son palais royal, sans trouver à se distraire, il fit appeler le prêtre-lecteur en chef, Djadjaemânkh. Lorsqu'il fut près de lui, Sa Majesté lui confia son ennui. Djadjaemânkh lui dit alors :

« – Que Sa Majesté aille à l'étang du palais royal. Là, on aménagera une barque avec un équipage composé des plus jolies filles du palais. Alors le cœur de Sa Majesté s'apaisera à les contempler en train de ramer.

« Aussitôt le roi donna des ordres :

« – Que l'on prépare la barque royale et qu'on l'équipe de vingt rames faites de bois d'ébène et recouvertes d'or. Qu'on amène aussi vingt femmes dont le corps soit des plus beaux, qu'on les vête légèrement afin que j'admire la beauté de leur corps.

« On agit conformément à tous les ordres qu'avait prononcés Sa Majesté.

« Dans la barque, les jeunes filles se mirent à ramer, et le cœur de Sa Majesté se réjouit. Cependant, l'une d'entre elles, à l'arrière du bateau, perdit une boucle d'oreille qui tomba dans l'eau. Elle arrêta de ramer, et ses compagnes

firent de même. Alors que Sa Majesté leur demandait pourquoi elles ne ramaient plus, elles lui répondirent :

« – C'est que notre compagne s'est arrêtée.

« Sa Majesté demanda à celle-ci pourquoi elle avait cessé de ramer.

« – Ma boucle d'oreille faite de **turquoise** est tombée dans l'eau, répondit-elle.

« Sa Majesté offrit de la lui remplacer, mais la jeune fille refusa. Ne sachant que faire, Sa Majesté fit appeler Djadjaemânkh et lui conta l'aventure. Alors celui-ci prononça une formule magique et il plaça la moitié de l'eau de l'étang sur l'autre moitié. Il découvrit la boucle

Turquoise : pierre précieuse de couleur bleue.

d'oreille gisant sur le fond, la prit et la rendit à sa propriétaire. Puis il prononça à nouveau une formule magique et remit l'eau à sa place. Sa Majesté passa ensuite un heureux jour et il en récompensa le prêtre-lecteur en chef Djadjaemânkh.

Chéops avait écouté avec attention cette histoire. Il dit :

– Que l'on donne en offrande mille pains, cent cruches de bière, un bœuf et deux mesures d'encens au roi de Haute et de Basse-Égypte, Snéfrou. En même temps, que l'on donne un pain, une cruche de bière, un morceau de viande et une mesure d'encens au prêtre-lecteur en chef

Djadjaemânkh, car j'ai pu constater l'étendue de son savoir.

Ce fut alors au fils du roi, Djedefhor, de se lever. Il dit :

– Chéops, tu as jusqu'alors entendu des exemples de ce qu'ont pu faire des magiciens qui maintenant appartiennent au passé. Mais il existe sous le règne de Sa Majesté un homme qui est un savant magicien.

– Qui est-ce donc, Djedefhor, mon fils ? demanda Sa Majesté.

– Il existe un vieillard du nom de Djédi, lui répondit Djedefhor. C'est un vieillard de cent dix ans, encore vert. Il sait rajuster une tête qui a été coupée, il sait aussi faire marcher derrière lui un lion, alors que sa laisse repose sur le sol.

Sa Majesté ordonna à son fils d'aller en personne chercher Djédi. Lorsque Djedefhor arriva auprès de Djédi, il lui dit :

– Je suis venu ici pour t'emmener auprès de mon père, le roi Chéops. Tu pourras manger de riches mets, venus des cuisines du palais, et tu pourras passer le reste de tes jours honoré de tous avant d'aller rejoindre tes pères qui reposent dans la **nécropole**.

– Sois le bienvenu, Djedefhor. Je te suivrai jusqu'à la résidence royale afin d'être agréable à Sa Majesté.

De retour à la résidence royale, le prince Djedefhor annonça à Sa Majesté la venue de

Nécropole : vaste cimetière.

Djédi. Chéops lui ordonna de l'introduire dans la salle de réception de la **Grande Maison** puis il demanda au magicien :

Grande Maison : c'est ainsi que l'on nommait le palais royal.

– Est-ce la vérité ce que l'on dit, à savoir que tu sais rajuster une tête coupée ?

– Oui, je sais faire cela, souverain, mon maître.

Alors Sa Majesté ordonna que l'on amène un prisonnier et qu'on lui tranche la tête.

Mais Djédi s'y opposa :

– Non, en vérité, on ne peut faire cela à un être humain. On ne peut ordonner de faire semblable chose au troupeau sacré de Dieu.

Alors on lui apporta une oie, dont la tête avait été tranchée, et cette oie fut placée sur le côté ouest de la salle d'audience, tandis que sa tête avait été placée sur le côté est. Djédi prononça une formule magique et l'oie se redressa en se dandinant, sa tête également, et lorsque l'une eut rejoint l'autre, l'oie, debout, se mit à glousser. Puis Djédi fit de même avec un bœuf. Enfin, le roi fit amener son lion favori et lui fit couper la tête. À nouveau Djédi prononça une formule magique et le lion se leva et se mit à marcher derrière lui, sa laisse traînant à terre.

Émerveillé, Sa Majesté ordonna que l'on récompense Djédi en lui offrant toutes sortes de bonnes et belles choses pour le restant de ses jours.

LE PHARAON est l'héritier des dieux, Osiris puis Horus. Dans ses différents titres apparaît celui de « Fils de Rê », ou celui de « Dieu parfait ». Sur terre, il est chargé de maintenir l'ordre universel et pour cela il lui faut s'assurer que les dieux, ses pères, ne manquent de rien dans leurs temples. Il lui faut également repousser l'ennemi et garantir le bien-être de ses sujets.

Bas-relief de Sésostris Ier

Chéphren

Le pharaon Chéphren
Il est l'un des constructeurs des pyramides de Giza.

Les cartouches
Les noms du pharaon sont inscrits dans des «cartouches». **Sésostris** (en égyptien Senouseret) veut dire : «l'homme de la déesse Ouseret», et Khéperkarê signifie : «le ka (l'âme) de Rê vient à l'existence».

Les sceptres de Toutânkhamon

Les attributs de la royauté
Le pharaon **Chéphren** est coiffé du némès, une enveloppe de tissu qui retombe sur la poitrine, et porte la barbe royale. Le faucon du dieu Horus vient enserrer de ses ailes la tête du souverain, rappelant que Pharaon est fils d'Horus.

Bas-relief de Ptolémée VII

La double couronne
Ptolémée VII est représenté ici dans la pure tradition pharaonique, entouré par les déesses Nekhbet et Ouadjet, déesses de la Haute et de la Basse Égypte, qui posent sur sa tête la double couronne, le pschent.

Le sphinx de Giza

« Dans son palais, Sa Majesté, le roi Chéops, s'ennuyait. Il errait d'une pièce à l'autre sans réussir à se distraire. »

Au centre : Mykérinos

Le sphinx de Giza
Lion à tête humaine, le sphinx de Giza fut sans doute fait à l'image du pharaon Chéops, le constructeur de la «grande» pyramide. Image du roi divinisé, il était aussi assimilé au dieu soleil.

Mykérinos
Constructeur de la «petite» pyramide de Giza, il est coiffé de la couronne blanche, symbole de la royauté sur la Haute-Égypte.

Les sceptres
Parmi les sceptres que tient le pharaon, deux réapparaissent plus particulièrement : le sceptre héqa, en forme de crosse, peut-être à l'origine un bâton de berger, et le sceptre nékhakha, le flagellum, une sorte de fléau.

Le conte du naufragé

J'étais parti en expédition vers les Mines du Prince, chargé d'une mission par Sa Majesté, dans un navire mesurant **cent vingt coudées** de long et **quarante** de large et mené par cent vingt marins choisis parmi l'élite de l'Égypte. Qu'ils naviguent au large ou qu'ils soient en vue de la terre, leur cœur était plus résolu que celui d'un lion. Ils pouvaient prévoir la tempête bien avant qu'elle ne survienne, ou un orage avant qu'il ne se manifeste.

Or une tempête, justement, se leva tandis que nous étions sur la **Grande Verte**, loin de toute terre. Nous dûmes supporter les assauts déchaînés du vent et des vagues. C'est alors qu'une vague de **huit coudées** de hauteur balaya le navire, renversant tout sur son passage, et je ne dus mon salut qu'au fait que je m'étais attaché au mât. Mais le navire périt, et aucun des cent vingt marins ne survécut.

Quant à moi je pus me cramponner au mât et les vagues me portèrent vers une île. Là, je me traînai à l'ombre d'un arbre et, seul, désespéré,

Cent vingt coudées et quarante : environ 60 m sur 20 m.
Grande Verte : la mer. Il s'agit ici de la mer Rouge.
Huit coudées : environ 4 m.

sans espoir de revoir ma maison et mes enfants, je passai trois jours à me lamenter. Enfin, je me relevai et partis en quête d'eau et de nourriture. Je découvris rapidement une source d'eau fraîche, ainsi que des figues et des raisins, de riches légumes de toutes espèces, des fruits de sycomore, et des concombres semblables à ceux que l'on cultive dans notre pays. Il y avait aussi des poissons et des volatiles à foison : cette île regorgeait de tout ce dont un homme peut rêver. Je pus ainsi me rassasier. Puis je saisis un bâton à feu, fis jaillir une flamme et offris un sacrifice aux dieux qui m'avaient permis de rester en vie.

Tout à coup, j'entendis un bruit de tonnerre et crus qu'il s'agissait d'une vague de la Grande Verte. Mais les arbres se mirent à bouger, la terre à trembler. Effrayé, je me jetai face contre terre et lorsque je me relevai, je m'apercus qu'un serpent approchait. Il mesurait **trente coudées**, sa barbe dépassait la longueur de **deux coudées**, son corps était recouvert d'or, ses sourcils étaient faits de **lapis-lazuli**. Il avançait dans toute sa majesté. Il ouvrit sa bouche dans ma direction, alors que je me prosternais devant lui, et il me dit :

– Qui t'a amené ici, petit homme ? Si tu tardes à me dire ce qui t'a amené sur cette île, je te réduirai en cendres et tu ne seras plus rien ni personne.

– Tu me parles, mais je ne puis entendre tes paroles, car en ta présence je perds toute conscience de moi-même, lui répondis-je sans oser relever la tête.

Le **serpent divin** me prit alors dans sa bouche et m'emmena en son repaire. Là, il me déposa sur le sol, sans me blesser, et je me retrouvai sain et sauf, sans que rien m'ait été enlevé.

Tandis que je me prosternais à nouveau devant lui, il me répéta :

– Qui t'a amené, petit homme ? Qui t'a amené sur cette île de la Grande Verte, dont les deux rives plongent dans les flots ?

Les bras étendus devant lui, je lui répondis :

– J'étais parti en expédition vers les Mines du Prince, chargé d'une mission par Sa Majesté, dans un navire mesurant cent vingt coudées de long et quarante de large, et mené par cent vingt marins choisis parmi l'élite de

Trente coudées : environ 15 m.
Deux coudées : environ 1 m.
Lapis-lazuli : pierre de couleur bleue.
Serpent divin : le serpent possède la chair d'or des dieux. La barbe et le lapis-lazuli sont aussi des symboles divins.

l'Égypte. Qu'ils soient en pleine mer ou qu'ils soient en vue de la terre, leur cœur était plus résolu que celui d'un lion. Ils pouvaient prévoir la tempête bien avant qu'elle ne survienne, ou un orage avant qu'il ne se manifeste. Chacun rivalisait de bravoure et de vigueur, il n'y avait point d'incapable parmi eux.

« – Une tempête s'étant levée alors que nous étions sur la Grande Verte, nous dûmes supporter la violence du vent avant d'avoir pu atteindre la terre. La tempête ayant redoublé, une vague de huit coudées nous balaya. Je ne fus sauvé que grâce au mât auquel je m'accrochai. Mais le navire périt et aucun des membres de l'équipage ne survécut, excepté moi. Me voici maintenant près de toi, car

je fus jeté sur cette île par une vague de la Grande Verte.

Il me répondit alors :

– N'aie pas peur, n'aie pas peur, petit homme ! Que ton visage ne soit pas bouleversé ! Tu es venu jusqu'à moi, et c'est Dieu qui a permis que tu survives. Il t'a emmené jusqu'à cette île enchantée, sur laquelle on trouve tout ce que l'on désire. Elle regorge de toutes sortes de belles et bonnes choses. Tu passeras quatre mois sur cette île. Puis un navire viendra, depuis la résidence royale. Tu reconnaîtras l'équipage qui le mène et tu repartiras avec ses marins vers le palais. Plus tard, tu mourras dans ta cité. Heureux l'homme qui peut raconter ses aventures, après être passé par les pires épreuves !

Je me repris à espérer et me prosternai devant lui en lui disant :

– J'informerai Pharaon de ta puissance, je louerai ta grandeur. Je veillerai à ce que te soient apportés du **ladanum**, du parfum **hékénou**, de l'arôme **ioudeneb**, de la cannelle, de la résine de térébinthe appartenant aux temples et dont chaque dieu se satisfait. Je raconterai ce qui m'est advenu, ce que j'ai vu de ton pouvoir. On adorera Dieu pour toi dans la cité, devant les notables du pays tout entier. Pour toi, je découperai des taureaux que je t'offrirai en **holocauste**, pour toi encore je tordrai le cou à des volailles, je ferai en sorte que l'on mène jusqu'à toi des navires chargés de toutes les richesses de l'Égypte. Ainsi fait-on pour un dieu qui aime les hommes dans un pays lointain que ces hommes ignorent encore.

Il se mit alors à rire de moi car il trouvait que mes paroles n'avaient pas de sens. Il me répondit ainsi :

– Tu veux m'offrir du ladanum ? Mais je sais que ton pays n'en possède guère ! Moi, en vérité, je suis le prince du pays de Pount et l'encens est ma propriété. Quant à ce parfum hékénou, c'est un produit de mon île et non pas de ton pays ! Sache enfin que quand tu quitteras cette contrée, tu ne la reverras plus jamais, car elle disparaîtra dans les flots.

Ladanum : sorte d'encens.
Hékénou et ioudeneb : parfums non identifiés.
Holocauste : sacrifice au dieu au cours duquel sont brûlées les offrandes.
Le pays de Pount : région de la côte est de l'Afrique, au sud du Soudan. En raison de ses richesses mythiques, les Égyptiens le surnommaient le «pays des dieux».

Ainsi que le serpent divin l'avait prédit, après quatre mois de séjour auprès de lui, un navire arriva en vue de l'île. J'allai jusqu'au rivage et me juchai sur un arbre élevé d'où je reconnus ceux qui étaient à bord et d'où je leur fis signe. Puis je descendis de l'arbre et courus vers mon hôte pour lui apprendre la nouvelle, mais il la connaissait déjà, et il me dit :

– Puisses-tu revenir sain et sauf jusqu'à ta maison, petit homme, et revoir tes enfants. Fais en sorte que ma bonne renommée se répande dans ta cité. C'est tout ce que je te demande.

Je me prosternai, les bras tendus devant lui. Il me fit alors don d'une cargaison constituée d'encens, de parfum hékénou, d'arôme ioudeneb, de cannelle, de **tichépsès**, de **poudre d'antimoine**, de queues de girafe, de résine de téré-

Tichépsès : encore une autre sorte de parfum.
Poudre d'antimoine : elle sert à fabriquer le khôl dont les Égyptiens ornaient leurs yeux.

binthe, de défenses d'ivoire, de chiens de chasse, de macaques, de babouins et de toutes sortes de produits précieux, afin d'en charger le navire.

Puis je le remerciai en adorant Dieu. Il me dit encore :

– Vois, tu atteindras la résidence royale dans deux mois, et tu étreindras tes enfants. Plus tard tu seras enterré dans ton pays et tu redeviendras jeune et fort dans ton tombeau.

Je descendis jusqu'au rivage, auprès du navire, et appelai l'équipage afin qu'il charge tous les trésors que m'avait donnés le maître de l'île. Sur le rivage encore, je lui rendis grâces, et les marins en firent de même. Quand nous nous en fûmes éloignés, nous entendîmes un grondement et, ainsi que le serpent divin l'avait annoncé, l'île disparut dans la mer. Nous fîmes voile durant deux mois, ainsi qu'il l'avait prédit.

De retour à la résidence royale, je fus introduit auprès de Sa Majesté et lui offris tous les présents que j'avais rapportés de cette île. Alors le roi adora Dieu, en présence des notables du pays tout entier, et me promut au rang de **Compagnon.**

Compagnon : titre honorifique.

LE COMMERCE dans l'Égypte ancienne a d'abord été développé autour du Nil, principal moyen de transport. Les hommes et leurs marchandises l'empruntaient, mais aussi les dieux qui se déplaçaient toujours dans leur barque. Très tôt, les Égyptiens utilisèrent des navires pour aller chercher des produits étrangers : bois du Liban ou encens des rives sud de la mer Rouge.

Les navires
Des navires plus importants, associant la voile et les rameurs, transportaient sur de longues distances les matériaux les plus lourds, comme les pierres – le granit d'Assouan, par exemple – ou les cargaisons de céréales.

Barque

Jarre à vin

Les barques
De petites barques, à rames, transportaient localement les voyageurs et les marchandises légères.

Felouque

Le transport des marchandises
Les liquides voyageaient dans des **jarres** de terre cuite, les grains étaient transportés dans des sacs de toile ou dans des paniers de vannerie. Les produits artisanaux devaient être fabriqués et échangés sur place.

Barque retrouvée dans une tombe

Les felouques
Les felouques qui croisent aujourd'hui sur le Nil ne sont pas les mêmes que celles de l'Égypte ancienne. Ces dernières avaient des voiles rectangulaires et possédaient une ou deux grandes rames-gouvernail.

Dans les tombes
On a retrouvé des modèles réduits de barques. Le plus souvent, elles sont simplement équipées, parfois avec une petite cabine, et manœuvrées par quelques rameurs.

“ Je partis en expédition dans un navire mesurant cent vingt coudées de long et quarante de large. ”

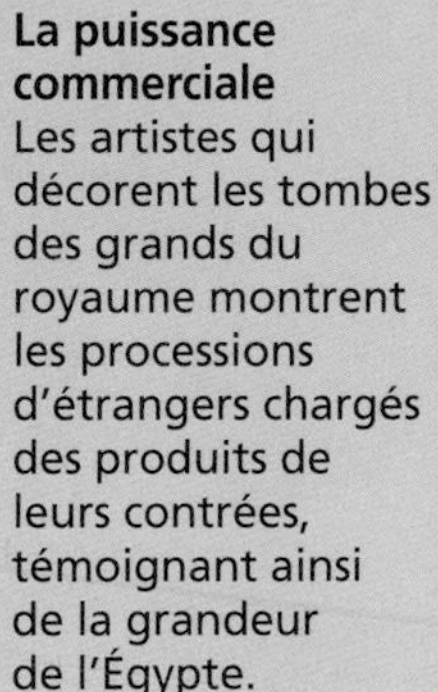

Représentation d'animaux exotiques dans une tombe

La puissance commerciale
Les artistes qui décorent les tombes des grands du royaume montrent les processions d'étrangers chargés des produits de leurs contrées, témoignant ainsi de la grandeur de l'Égypte.

Arbre à encens

Le commerce de l'encens
L'encens n'existait pas dans l'Égypte ancienne, il fallait l'importer. La reine Hatshepsout fit organiser une expédition au pays de Pount, afin d'en rapporter des arbres qu'elle voulait acclimater en Égypte.

Les produits
De l'Afrique noire, l'Égypte importe l'ivoire, l'ébène et des **animaux exotiques**, du Soudan, elle tire l'or, de l'Asie, les chevaux, de Chypre, le cuivre, de la Crète des vases précieux aux formes délicates.

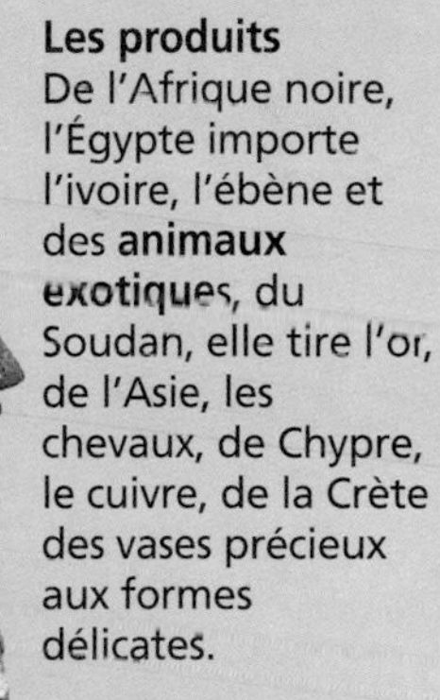

Le conte des deux frères

Dans un village des bords du Nil vivaient deux frères : Anoup, l'aîné, et Bata, le cadet. Anoup habitait avec son épouse dans la maison qu'il avait héritée de ses parents, et Bata logeait avec eux. Entre les deux frères régnait une parfaite harmonie et Bata aidait son aîné dans tous les travaux des champs.

Chaque jour, à l'aurore, il préparait la nourriture que son frère devait emporter aux champs, puis il emmenait ses vaches pour les faire paître. Et tandis qu'il marchait derrière elles, elles lui disaient :

– Emmène nous en tel endroit, l'herbe y est bonne.

Bata les écoutait et les accompagnait là où elles le souhaitaient. Ainsi son troupeau prospérait-il. Quand venait la fin du jour, Bata le ramenait à la maison. Puis il dînait légèrement et allait passer la nuit dans l'étable auprès de ses bêtes.

Lorsque la **saison** Akhet se termina, et que commença la saison Péret, son frère aîné lui demanda de préparer un attelage pour commencer les labours. Bata choisit ses deux plus belles

Les saisons : l'année égyptienne se divise en trois saisons de quatre mois : la saison de l'inondation qui marque le début de l'année, Akhet, la saison des labours et des semailles, Péret, et la saison de la germination et des récoltes, Chémou.

vaches, les attela à l'**aroure** et travailla toute la journée avec son frère. Puis, quand vint le moment de semer, Anoup demanda à Bata d'aller chercher des semences. Bata s'en retourna à la maison et là, il trouva la femme de son frère qui était en train de se coiffer et lui dit :

Aroure : ancêtre de la charrue.

– Lève-toi et va me chercher des semences que je puisse les rapporter rapidement à mon frère.

– Vas-y toi-même, lui répondit-elle, et ne me dérange pas.

Bata se rendit au grenier et se chargea de sacs de froment et d'orge. Le voyant passer devant elle si lourdement chargé, la femme sentit son cœur s'emplir d'admiration et de désir. Elle se leva et lui dit :

– Comme tu es fort ! Viens, couchons-nous et passons une heure ensemble !

Alors, le jeune homme sentit son âme s'emplir de colère et il lui dit :

– Tu es pour moi comme une mère et ton mari est comme mon père ! Quelle est cette monstruosité ? Ne me répète jamais cela.

Sur ces paroles, il la laissa, rejoignit son frère aux champs et épuisa sa colère en une longue journée de travail.

Le soir, son frère aîné le précéda sur le chemin du retour, tandis que lui restait dans les champs pour rassembler le troupeau. Quant à la femme d'Anoup, elle se sentait emplie de crainte à l'idée que Bata ait pu parler à son aîné.

De retour à la maison, Anoup ne vit pas son épouse. Elle ne l'attendait pas à la porte pour lui verser de l'eau sur les mains, et la demeure était plongée dans l'obscurité. Il entra et la trouva couchée sur son lit, tremblant et vomissant. Alors il s'approcha d'elle et lui demanda ce qui la mettait dans cet état.

– C'est ton frère cadet, lui répondit-elle, il m'a trouvée seule à ma toilette et il m'a dit : « Couchons-nous et passons une heure ensemble. » Et je lui ai dit : « Mais ne suis-je pas ta mère, l'épouse de ton frère aîné qui est pour toi comme un père ? » Alors il a pris peur et m'a battue afin que je ne dise rien de ses propos malhonnêtes. Si tu permets qu'il vive, je me tuerai !

Une rage incontrôlée s'empara d'Anoup qui se saisit de sa lance et se cacha dans l'étable pour attendre le retour de son cadet. Quand les vaches arrivèrent à la ferme, elles virent Anoup et en prévinrent leur maître. Bata baissa alors les yeux et aperçut les pieds de son frère sous la porte. Saisi de peur, il s'enfuit mais Anoup se lança à sa poursuite.

Bata se tourna alors vers Rê, le dieu grand, et l'appela à l'aide. Le dieu entendit sa prière et fit surgir entre les deux frères une vaste étendue d'eau, pleine de crocodiles.

Anoup était furieux de ne pouvoir atteindre son frère, mais celui-ci s'adressa à lui :

– Pourquoi veux-tu me tuer sans même m'avoir entendu ? Je suis pourtant ton frère cadet et tu es pour moi comme un père. Écoute-moi ! Lorsque tu m'as envoyé chercher les semences, ta femme m'a dit : « Viens, couchons-nous. » Et maintenant elle renverse les choses et soutient le contraire.

Là-dessus, il prit un roseau effilé, se coupa le membre viril et le jeta à l'eau. Voyant cela, son frère aîné se mit à pleurer, empli de honte et souffrant de voir son frère si misérable après son sacrifice. Alors, Bata lui dit :

– Tu n'as écouté que les mauvaises paroles, tu n'as jamais pensé à tout ce que j'ai fait pour toi depuis des années.

Retourne à la maison et prends soin de tes bêtes et de tes champs, car je ne retournerai pas avec toi. Je vais partir pour le **Val du Pin-Parasol** et tu ne me verras plus. Là, j'enlèverai mon cœur et le placerai au sommet de la **fleur du pin parasol**. Si le pin est coupé, je mourrai. Tu sauras qu'il m'est arrivé quelque chose quand le pot de bière que tu tiendras dans les mains se mettra à déborder. Alors accours vite et cherche mon cœur sans te décourager. Quand tu l'auras trouvé, mets-le dans un vase d'eau fraîche et je revivrai.

Val du Pin-Parasol : lieu situé au bord de la mer, en Phénicie.

Fleur du pin parasol : elle donne un fruit qui a la forme d'un cœur.

Après ces paroles, Bata se mit en route vers le Val du Pin-Parasol, tandis que son frère aîné s'en retournait chez lui, barbouillé de poussière en signe de deuil. Une fois chez lui, il s'empara de sa femme, la tua et la jeta aux chiens.

De nombreux jours passèrent. Dans le Val du Pin-Parasol, Bata s'était construit une vaste demeure. Il passait ses journées à chasser et venait chaque soir s'asseoir au pied du pin qui abritait son cœur.

L'Ennéade : les neuf dieux d'Héliopolis, dont le premier est Atoum, qu'on appelle aussi Rê-Horakhty.

Au cours d'une de ses chasses, il rencontra l'**Ennéade** divine qui s'adressa à lui :

– Bata, es-tu ici tout seul après avoir fui ton frère Anoup et sa femme ? Vois ! Il t'a vengé et a tué son épouse.

Les dieux prirent pitié de lui et Rê lui fit don d'une compagne. Sa beauté dépassait celle de toutes les autres femmes et son corps renfermait l'essence des dieux. Bata fut empli de joie lorsque la femme vint habiter chez lui. Mais il la mit en garde :

– Fais attention à ne pas sortir de notre demeure, le dieu de la mer chercherait à s'emparer de toi et tu ne pourrais lui échapper.

De même, il lui ouvrit son cœur et lui dévoila son secret :

– Mon cœur est placé sur la fleur du pin parasol et, si quelqu'un me veut du mal, il abattra l'arbre et me tuera !

Bien des jours après, la femme éprouva le besoin de sortir de la demeure où rien ne lui manquait mais où elle se sentait enfermée et solitaire. Ainsi, elle en oublia les recommandations de Bata. Alors qu'elle s'était éloignée de la

maison en direction de la côte, le dieu de la mer l'aperçut et se précipita vers elle. Elle courut, courut et lui échappa enfin en se réfugiant dans la maison. Mais le dieu de la mer réussit à s'emparer d'une boucle de ses cheveux.

Au gré de ses errances, le dieu emporta cette boucle vers l'Égypte et la déposa dans le lavoir du palais royal. L'odeur de cette boucle imprégna peu à peu tous les vêtements de Pharaon qui s'enquit de ce parfum, lequel l'obsédait chaque jour davantage. Le chef des parfumeurs du palais ne put qu'avouer son ignorance, mais descendit jusqu'au lavoir d'où il retira la boucle qui flottait à la sur-

face de l'eau, répandant autour d'elle une odeur presque divine. Il la porta à Pharaon qui appela ses scribes et ses prêtres. Ceux-ci lui dirent :

– Cette boucle de cheveux appartient à une fille de Rê qui vit au Val du Pin-Parasol. Envoie des soldats accompagnés de servantes chargées de présents pour la convaincre de venir auprès de toi.

Et bientôt les émissaires de Pharaon revinrent avec cette femme dont la beauté réjouit le pays tout entier. Dès qu'il la vit, Pharaon l'aima et la nomma grande favorite. Il lui fit bâtir un palais et lui offrit tout ce qu'elle pouvait désirer.

Très vite le cœur de la femme se détourna de Bata. Alors elle s'adressa à Pharaon et lui dit :

– Mon époux est fort et vaillant. J'ai peur qu'il ne vienne ici me chercher. Que Ta Majesté envoie des soldats au Val du Pin-Parasol afin qu'ils coupent l'arbre. Mon mari mourra et je ne le craindrai plus.

Sur ordre de Pharaon, des soldats partirent et abattirent le pin parasol. Alors, la fleur qui supportait le cœur de Bata tomba à terre et celui-ci mourut.

Dans son village, Anoup rentrait chez lui après une longue journée dans les champs. Comme à son habitude, son serviteur lui apporta un pot de bière pour le désaltérer. Mais dès qu'il prit le pot dans ses mains, la bière se mit à déborder. On lui en apporta un second et, une fois encore, la bière bouillonna et sortit du pot. Alors Anoup se souvint des paroles de son frère. Il se leva et, sans perdre un instant, partit pour le Val du Pin-Parasol. Lorsqu'il y arriva, après de longues journées de marche, il découvrit Bata gisant sur le sol, sans vie. Il chercha le pin parasol et le trouva abattu, se desséchant sur la terre, mais ne vit aucune trace du cœur de son frère. Il se mit à sa recherche et de longs mois s'écoulèrent, en vain. Le découragement le gagna.

Alors qu'il allait s'en retourner chez lui, son regard se posa sur une minuscule graine cachée sous les branches desséchées. Empli d'espoir, il la prit et la mit dans un bol d'eau fraîche. Lorsqu'elle eut absorbé toute l'eau, Anoup vit le corps de son frère frémir. Il prit le bol contenant la graine et en donna le contenu à boire à son frère. Le cœur de Bata se remit à sa place, et le jeune homme revint à la vie.

Les deux frères s'embrassèrent et Bata dit à son aîné :

– Je vais me transformer en un grand **taureau au pelage merveilleux**. Tu monteras sur mon dos et je te conduirai vers Pharaon. Là, tout le monde s'émerveillera de me voir car nul n'aura jamais vu un taureau de cette nature et on te donnera ton poids en argent et en or.

Le lendemain, Bata se changea en taureau et emporta son frère sur son dos. Arrivé en Égypte, l'animal suscita l'admiration de tous et fut conduit chez Pharaon. Sa Majesté se réjouit, et avec elle les prêtres et le peuple. Elle décida d'organiser un sacrifice en son honneur et récompensa Anoup de son poids en argent et en or, ainsi que l'avait annoncé Bata.

Un jour, le taureau, qui avait toute liberté d'aller où il le désirait, entra chez la grande favorite et lui dit :

– Vois, je suis encore en vie. Je suis Bata, et je sais que tu as fait détruire l'arbre qui portait mon cœur.

La favorite prit peur et, lorsque Pharaon vint la voir, elle lui dit :

– Jure-moi que tu réaliseras mon vœu. Fais-moi manger le foie de ce taureau.

Pharaon ne put résister à sa favorite. Il proclama un grand sacrifice et fit égorger le taureau. Mais deux gouttes de sang s'en échappèrent et furent projetées sur les montants de la porte de Pharaon. Immédiatement deux grands **perséas** en sortirent et on courut dire à Pharaon :

Taureau au pelage merveilleux : les taureaux sacrés, incarnations de certaines divinités en Égypte, avaient un pelage couvert de signes particuliers.
Perséa : c'est l'arbre des amants qui viennent s'y réfugier. Ses feuilles sont utilisées par le dieu Thot pour inscrire les noms des pharaons.

– Un grand prodige est arrivé, deux grands perséas ont jailli des montants de ta porte.

Alors Sa Majesté se réjouit et des sacrifices furent accomplis en l'honneur de ces deux arbres sacrés.

Quelque temps plus tard, Pharaon décida d'aller rendre hommage aux deux perséas. Accompagné de la grande favorite, il s'installa devant la porte du palais. Sa Majesté était assise sous l'un des arbres et sa favorite sous le second, et tous deux reçurent l'hommage des grands du royaume et les acclamations de tout le peuple d'Égypte.

Alors que la grande favorite se réjouissait, le perséa sous lequel elle était assise s'adressa à elle :

– Hé ! traîtresse, je suis en vie. Je suis Bata. Tu as fait abattre le pin qui m'abritait. Tu as fait sacrifier le taureau que j'étais devenu. Me voici, je suis l'arbre sacré sous lequel tu t'assieds.

Et le cœur de la femme s'emplit de crainte.

Un jour que Sa Majesté et sa grande favorite étaient ensemble, à boire et à se distraire, la femme dit à Pharaon :

– Jure-moi par Dieu que tu réaliseras mon vœu. Fais couper ces deux arbres, fais faire avec de beaux meubles pour moi.

Le roi s'attrista à cette idée, mais l'amour qu'il portait à cette fille des dieux était le plus fort, et il ordonna à ses artisans de faire ce qu'elle désirait. Alors que la grande favorite regardait les ouvriers abattre les deux arbres, un **copeau** vola et entra dans sa bouche et elle en devint enceinte sur-le-champ.

Les jours passèrent et la favorite mit au monde un enfant mâle. Cet enfant portait en lui l'**essence des dieux** et Pharaon l'aimait plus que tout autre. Des années plus tard, il en fit le prince héritier du Double-Pays.

Puis le jour vint où Pharaon rejoignit les dieux et le fils de la grande favorite monta sur le trône. Alors, il réunit tous les grands d'Égypte et la grande favorite, sa mère, et leur dit :

– Voyez, je suis Horus, le vainqueur de Seth, qui règne sur la Haute et la Basse-Égypte sous la protection des déesses Nekhbet et Ouadjet, je suis le fils de Rê ! **Cette femme est ma mère**, mais elle fut aussi mon épouse que l'Ennéade fit pour moi.

Et, devant tous, Bata, devenu Pharaon, conta son histoire.

Et les grands d'Égypte de s'exclamer :

– En vérité, cette femme mérite la mort. Qu'elle soit châtiée par le glaive comme le furent, au commencement des temps, les ennemis de Rê !

Copeau : morceau d'une pièce de bois.
Essence des dieux : la femme de Bata, devenue grande favorite, est la fille de l'Ennéade.
Cette femme est ma mère : Bata, par le truchement du copeau avalé par sa femme, a engrossé son épouse et renaît d'elle.

L'AGRICULTURE constituait la principale activité de l'Égypte et les paysans représentaient l'essentiel de la population. Le pays produisait, grâce à l'irrigation, des céréales, des légumes et des fruits. Le bétail y était nombreux, tandis que le fleuve et ses berges permettaient la pêche et la chasse aux oiseaux.

La crue du Nil
Elle transformait toute la vallée en une sorte de vaste lac d'où n'émergeaient que les buttes sur lesquelles étaient construits les villages et les villes, les temples et les palais.

Les propriétaires
Alors que l'immense majorité du peuple des campagnes vit dans des demeures de fortune, quelques rares privilégiés, proches du pharaon ou notables, jouissent de grands domaines. En théorie, toute terre appartient au roi qui en donne la jouissance aux «nobles». Dans la réalité, ceux-ci se transmettaient ces propriétés par voie héréditaire et «oubliaient» qu'ils n'en étaient que les bénéficiaires.

Un laboureur

Le travail du paysan
Ce modèle, placé dans une tombe, montre un paysan en train de **labourer**. Cette activité prenait place vers la fin du mois d'octobre, après le retrait des eaux de la crue.

La chasse
C'est une distraction des classes supérieures de la société – puisque par ailleurs les paysans élèvent de la volaille. Elle est parfois chargée d'un symbolisme religieux, par exemple la chasse à l'hippopotame, animal dangereux assimilé aux forces du mal. C'est le cas également lorsque le pharaon chasse les lions et les taureaux sauvages qui vivent aux abords du désert.

Le «noble» Nebamon chassant les oiseaux aquatiques

Le propriétaire passe en revue ses troupeaux.

“ Entre les deux frères régnait une parfaite harmonie et Bata aidait son aîné dans tous les travaux des champs. ”

Le livre de Thot

Il était une fois un roi, nommé Ousermaâtrê, et ce roi avait un fils nommé Satni qui était fort savant, un magicien sans pareil en Égypte. Il passait son temps à lire les textes gravés sur les parois des tombeaux, sur les murs et les **stèles** des temples. Or, un jour qu'il se promenait sur le parvis du temple de Ptah en y lisant les inscriptions, un homme qui se trouvait là lui dit :

Stèle : monument de pierre qui porte des inscriptions.

– Si vraiment tu désires lire un texte puissant, viens avec moi, je te dirai où est ce livre que Thot a écrit de sa main. Il contient deux formules. Avec la première, tu charmeras l'univers et tu comprendras ce que disent les animaux. Avec la seconde, même en étant dans la tombe, tu reprendras la forme que tu avais sur la terre.

– Par la vie ! répondit Satni, dis-moi ce que tu souhaites et tu l'auras si tu me mènes à ce livre.

– Ce livre est dans la tombe de Nanéferkaptah, le fils du roi Mernebptah, répondit l'homme.

Ayant entendu ces paroles, Satni en perdit la raison. Il alla devant le roi, lui répéta tout ce que l'homme lui avait dit et lui demanda l'autorisation d'ouvrir le tombeau de Nanéferkaptah.

Le roi ayant accédé aux désirs de Satni, celui-ci se rendit à la nécropole de Memphis où il passa trois jours et trois nuits à chercher parmi les tombes avant de trouver l'endroit où reposait Nanéferkaptah. Alors, Satni récita une formule magique et un vide se fit dans la terre, dévoilant l'entrée du tombeau. Il descendit dans le caveau. Il y faisait clair comme si le soleil y entrait, car la lumière sortait du livre et éclairait tout alentour.

Nanéferkaptah n'était pas seul dans la tombe, mais sa femme, Ahourê, et son fils, Merib, étaient avec lui. Et, quand Satni s'approcha, Ahourê se dressa et lui demanda qui il était.

– Je suis Satni et je suis venu pour avoir ce livre de Thot. Donne-le-moi, sinon je te le prendrai de force, répondit-il.

– Je t'en prie, lui dit Ahourê, écoute d'abord tous les malheurs qui nous sont arrivés à cause de ce livre que tu exiges.

« Je m'appelle Ahourê, fille du roi Mernebptah, et celui que tu vois là, à côté de moi, est mon frère Nanéferkaptah. Quand vint l'âge de me marier, ma mère alla trouver le roi et lui dit :

« – Ahourê, notre fille, aime Nanéferkaptah son frère aîné, marions-les ensemble.

« Mais le roi lui répondit :

« – Tu n'as eu que deux enfants, et tu veux les marier l'un avec l'autre ?

« – Oui, même si je n'ai pas d'autres enfants, lui dit-elle.

« Le roi accepta alors de nous marier et la nuit même de notre mariage, nous conçûmes un fils. Lorsqu'il naquit, nous l'appelâmes Merib.

« Bien des jours après, alors que Nanéferkaptah, mon frère, se promenait dans la nécropole de Memphis, y déchiffrant les inscriptions des tombeaux anciens, il rencontra un vieux prêtre qui lui dit :

« – Pourquoi lis-tu ici des écrits qui n'ont aucune puissance ? Viens avec moi et je te montrerai le lieu où est le livre que Thot écrivit de sa main. Deux formules y sont écrites. Avec la première, tu charmeras l'univers et tu comprendras ce que disent les animaux. Avec la seconde, même en étant dans la tombe, tu reprendras la forme que tu avais sur la terre.

« Nanéferkaptah dit au prêtre :

« – Par la vie du roi ! Dis-moi ce que tu souhaites, et je te le ferai donner si tu me mènes à ce livre.

« Le prêtre lui répondit :

« – Donne-moi cent **deben** d'argent pour ma sépulture et je te dirai où il est.

Deben : poids d'environ 92 g.
Mer de Coptos : mer Rouge.

« Nanéferkaptah fit alors verser cette somme au prêtre qui lui dit :

« – Le livre est au milieu de la **mer de Coptos**, dans un coffret de fer gardé par un serpent divin.

« Dès que Nanéferkaptah eut entendu ces paroles, il perdit la tête. Il me raconta tout et me dit qu'il partirait à la recherche de ce livre. Je ne pus l'en dissuader et nous partîmes tous les trois, Nanéferkaptah, moi-même et notre fils, pour Coptos, où nous fûmes accueillis par les prêtres du temple d'Isis. Dans le temple, Nanéferkaptah fit sacrifier un taureau et l'offrit à la déesse. Puis il demanda qu'on lui fournisse une grande quantité de cire avec laquelle il modela une barque et son équipage. Alors, récitant une formule magique, il leur donna vie et s'embarqua, nous confiant, moi et mon fils, aux soins des prêtres du temple.

« Pendant trois jours, l'équipage rama jusqu'à l'endroit où devait se trouver le livre. Là, Nanéferkaptah jeta une

poignée de sable dans l'eau qui s'ouvrit devant lui. Il vit le coffret, gardé par le serpent divin. Il descendit vers le serpent et l'attaqua. Après une lutte violente, il réussit à le tuer. Alors il s'empara du coffret. Il l'ouvrit et y trouva le livre. Il récita la première formule qui y était inscrite, il charma l'univers et comprit ce que disaient les animaux.

« Il remonta dans le bateau, referma la mer et revint vers l'endroit où j'étais. Il me mit le livre en main puis il se fit apporter un papyrus et y recopia le contenu du livre. Quand ce fut fait, il l'imbiba de bière et fit dissoudre le tout dans de l'eau. Quand tout fut dissous, il but et sut tout ce qui était écrit dans le livre. Puis nous retournâmes au temple d'Isis afin de rendre hommage à la déesse avant notre retour vers le nord.

« Mais hélas Thot avait appris ce qui était arrivé et

obtint de Rê le droit de punir Nanéferkaptah. Voici le châtiment qu'il lui destinait.

« Alors que nous étions sur le bateau, notre fils se pencha au-dessus de l'eau et se noya. Nanéferkaptah sortit de la cabine, prononça une formule magique et le fit remonter hors de l'eau. Grâce à une autre formule, il lui fit raconter ce qui lui était arrivé. C'est ainsi que nous connûmes la colère de Thot. Alors nous retournâmes à Coptos où nous fîmes enterrer notre fils. Sur le chemin du retour, à l'endroit même où notre fils était tombé, je fus saisie par une force qui me poussa à l'eau et me noya. Nanéferkaptah me sortit du fleuve et me ramena à Coptos afin que je fusse enterrée avec notre fils. Avant de s'embarquer à nouveau, il façonna une enveloppe magique faite de lin royal dans laquelle il plaça le livre avant de le fixer solidement sur sa poitrine. Lorsque le navire arriva à l'endroit fatidique, Nanéferkaptah se sentit à son tour jeté dans l'eau et se noya. L'équipage ne parvint pas à retrouver le corps et rentra tout endeuillé à la capitale.

« Lorsque Pharaon apprit la nouvelle, il se rendit sur le quai pour accueillir le bateau. Il était en manteau de deuil, ainsi que tout son entourage. Mais voilà que lorsque le navire accosta, le corps de Nanéferkaptah réapparut, attaché aux rames gouvernail. On le retira de l'eau et on vit le livre fixé à sa poitrine. Pharaon ordonna alors que l'on organise ses funérailles et le fit placer dans sa demeure d'éternité avec le livre.

Ayant entendu ce récit, Satni n'en réclama pas moins le livre à Ahourê. Alors Nanéferkaptah, qui n'avait rien dit jusque-là, se redressa et dit :

– Satni, te crois-tu capable de t'emparer de ce livre ? Veux-tu le jouer contre moi ?

Satni accepta et ils commencèrent à jouer. Au bout de trois parties, Satni sortit vainqueur et put s'emparer du

livre de Thot. Il sortit alors du tombeau et le referma.

Revenu au palais, Satni raconta toute l'histoire à Pharaon qui lui dit :

– Agis en homme sage et rends ce livre à Nanéferkaptah.

Mais Satni ne voulut rien entendre. Il n'avait plus qu'une idée en tête, ouvrir le livre et en lire les formules.

Or, la nuit venue, avant même qu'il ait pu prendre connaissance du contenu du livre, Satni fit un rêve.

Il se vit sur le parvis du temple de Ptah, où une femme

d'une extraordinaire beauté s'approchait de lui. Immédiatement, il en tomba follement amoureux et voulut la posséder. Il suivit la femme jusqu'à sa demeure et obtint d'entrer chez elle. Là, comme il lui déclarait son amour, la femme lui répondit qu'elle ne serait à lui qu'à condition qu'il quitte son épouse et déshérite ses enfants en sa faveur. Tout de suite, Satni accéda à ses désirs. Puis la femme lui demanda de tuer ses enfants devant elle et de jeter leur corps aux chiens. Éperdu de désir, Satni fit venir ses enfants et les tua de ses mains. Alors, la femme s'offrit à lui. Mais lorsqu'il voulut la posséder, la femme poussa un hurlement... et Satni s'éveilla.

Troublé, Satni alla trouver Pharaon et lui raconta son rêve. Celui-ci lui dit :

– Cette femme qui apparaît dans ton rêve, c'est l'esprit d'Ahourê qui veut te faire comprendre que tu as mal agi en prenant ce livre. Le désir est en toi et non la sagesse. De même que tu as commis une faute en volant ce livre, tu as commis une faute plus grande encore, dans ton rêve, en mettant à mort tes enfants. Va maintenant et rends ce livre à Nanéferkaptah.

Ainsi, Satni prit le livre de Thot et redescendit dans le tombeau de Nanéferkaptah.

– J'ai mal agi, lui dit-il, en m'emparant de ce livre qui t'a tant coûté. Puis-je faire quelque chose pour toi ?

Nanéferkaptah lui répondit :

– Satni, tu sais qu'Ahourê et notre fils Merib sont à Coptos. Tu ne vois ici que leur ombre. Va à Coptos et ramène-les dans ma demeure d'éternité.

Lorsque Satni sortit de la tombe, il alla voir Pharaon et lui rapporta ce que lui avait dit Nanéferkaptah. Pharaon lui donna alors un navire royal et son équipage. Arrivé à Coptos, il partit à la recherche de la tombe d'Ahourê et de son fils. Il passa trois jours et trois nuits avant de la trouver. Satni la fit ouvrir et prononça les paroles rituelles avant de prendre les corps et de les ramener à Memphis. On les plaça alors à côté de Nanéferkaptah.

Ainsi s'achève l'histoire de Satni et de Nanéferkaptah, deux hommes aux connaissances immenses, mais qui péchèrent contre les dieux en voulant s'approprier ce qu'eux seuls ont le droit de savoir, car si savant qu'il puisse aspirer à l'être, l'homme n'en demeure pas moins une créature des dieux.

L'ÉCRITURE est partout dans l'Égypte ancienne. Elle sert d'abord à transcrire les paroles des dieux et leur histoire, puis celles du pharaon. Progressivement, on l'utilise pour rendre compte de toutes les activités des habitants de la vallée du Nil.

Les supports
Le scribe utilise tous les supports pour écrire : le papyrus, bien sûr, mais aussi des **tablettes** de bois ou des éclats de calcaire et des fragments de poteries.

Le dieu Thot : dieu protecteur des scribes

Tablette d'écolier, papyrus et couteau à bois

Les hiéroglyphes
Les signes hiéroglyphiques représentent à la fois des images, des idées et des sons. D'autres écritures, aux signes simplifiés, sont nées des hiéroglyphes, le hiératique et le démotique.

Scribes enregistrant la rentrée du grain

“Satni passait son temps à lire les textes gravés sur les parois des tombeaux, sur les murs et les stèles des temples.”

Un scribe célèbre
Imhotep, le constructeur de la première pyramide à Saqqarah, a certainement débuté comme scribe avant d'être architecte, favori du pharaon Djoser, et d'être adoré des siècles après son décès.

Le travail des scribes
En Égypte, tout était enregistré. Le scribe est employé d'un grand domaine agricole, d'un temple, ou fonctionnaire du roi.

Les scribes
Ils constituent un groupe respecté et fier de lui. Après de longues études difficiles, le scribe intègre diverses administrations et peut devenir un personnage considérable.

Le scribe du Louvre

La bataille de Qadech

En ce deuxième mois de la saison Chémou de la neuvième année du règne du roi de Haute et de Basse-Égypte Ramsès II, moi, Pentaour, scribe, j'achève ce récit de la grande victoire remportée par Sa Majesté près de la ville de Qadech contre le roi du Hatti. Je n'étais pas présent lors de cette bataille survenue il y a cinq ans, et j'ai dû consulter mes collègues, le responsable des Archives royales, Ameneminet, et le scribe du Trésor du palais royal, Amenemouia. Ils m'ont accordé toute leur aide parce que j'agissais sur l'ordre de Sa Majesté.

Ainsi, en la cinquième année de son règne, Sa Majesté, ayant appris les menées de Mououattali, perfide roi des Hittites, décide de mener son armée jusqu'à Qadech afin d'en finir avec lui. De son palais de Memphis, il ordonne le rassemblement de ses troupes dans sa nouvelle cité de Pi-Ramsès. C'est là que, entouré de quelques-uns de ses fils et accompagné des grands du royaume, il met sur pied les plans de sa campagne.

Pendant ce temps, les **arsenaux** débordent d'activité. Des fonderies sortent par milliers pointes de flèches, de lances, haches et glaives. Les rapides chars de guerre sont vérifiés et renforcés en vue de la longue route qui les attend. Les lourds boucliers de bois sont doublés de cuir, les arcs reçoivent de nouvelles cordes.

Enfin, le neuvième jour du deuxième mois de Chémou, Sa Majesté, montée sur son char recouvert d'or auquel sont attelés ses deux meilleurs chevaux, Victoire-dans-Thèbes et Mout-est-satisfaite, ayant revêtu son corselet de cuir renforcé de plaques de bronze doré, coiffé de sa couronne décorée de disques de lapis-lazuli, passe en revue son armée. Il est entouré de sa garde personnelle, composée de soldats égyptiens et de ces farouches Chardanes, anciens captifs ayant préféré servir le roi plutôt que de rester en servitude, aisément reconnaissables à leur bouclier rond et à leur casque de bronze orné de deux cornes.

Devant lui défilent les quatre divisions, celle d'**Amon** ouvrant la marche. Les chars, occupés par les soldats les plus habiles, précèdent l'**infanterie**. Chaque char est tiré par deux solides coursiers et monté par deux hommes, armés de lances et d'arcs, fiers d'appartenir à l'élite et de combattre auprès du roi. Des **fantassins** légers, qui massacrent les ennemis jetés à terre, les accompagnent. Puis suivent les musiciens qui soufflent dans leurs trom-

Arsenal : ici, fabrique d'armes.
Amon : principal dieu de la ville de Thèbes.
Infanterie : ensemble des soldats marchant à pied.
Fantassins : soldats à pied.

pettes et battent tambour. Ensuite vient l'infanterie, quatre mille hommes répartis en groupes de deux cents soldats menés par leurs officiers et subdivisés en unités de cinquante soldats précédés d'un porte-étendard. Ils sont armés d'arcs puissants, de longues lances, de haches tranchantes et de glaives effilés. Enfin, fermant la marche de chaque division, les lourds chariots de l'intendance, tirés par des bœufs puissants, avec les serviteurs, les médecins, les artisans.

Lorsque l'armée entière a fini de défiler et d'acclamer Sa Majesté, celle-ci remonte la longue colonne, emportée par le galop de ses fiers coursiers, et en prend la tête, en direction du nord. À partir de là commencent les pays étrangers qui, depuis toujours, portent leurs **tributs** à Pharaon. Dès que l'armée paraît, longeant la côte de la Grande Verte, des multitudes de chefs et de princes viennent adorer Sa Majesté, dans la crainte de sa puissance.

Tribut : don d'argent ou d'objets que le vaincu doit au vainqueur.

Oronte : fleuve qui prend sa source dans l'actuel Liban et se jette dans la Méditerranée.

Un mois après avoir quitté Pi-Ramsès, Sa Majesté campe sur les hauteurs qui dominent l'**Oronte**. En traversant le bois de Laboui, les éclaireurs de Sa Majesté lui amènent deux captifs, deux bédouins chosou. Ceux-ci se jettent aux pieds de Pharaon, prétendant être les frères de chefs bédouins désireux d'apporter leur aide au grand roi d'Égypte.

Lorsque celui-ci leur demande où sont ces chefs, les deux hommes répondent :

– Ils sont près du vil Hittite qui se trouve actuellement près d'Alep car il craint de descendre plus au sud à cause de Sa Majesté.

Réjoui par cette nouvelle qui place le roi des Hittites loin au nord, Pharaon fait presser le pas à son armée afin d'atteindre au plus vite Qadech. Il traverse le **gué** avec ses serviteurs et sa garde, suivi de près par la division d'Amon, tandis que les divisions de Rê, de Ptah et de Seth suivent de loin.

Gué : endroit d'une rivière où le niveau de l'eau est assez bas et que l'on peut traverser à pied.

Une fois la plaine de Qadech passée, le roi fait installer son campement au nord-ouest de la ville rebelle, isolée des terres sur une sorte d'île formée par l'Oronte et un de ses affluents. Là, on monte la tente royale et on y installe le trône de Sa Majesté qui peut ainsi s'y délasser pendant que les soldats de l'armée d'Amon fortifient l'espace en creusant des fossés et en l'entourant de leurs grands boucliers de bois solidement plantés en terre.

Le roi est donc installé sous sa tente, accompagné de ses fils, de ses officiers et de ses serviteurs, quand des éclaireurs lui amènent deux espions hittites. Ils les ont capturés et roués de coups et voici ce qu'ils avouent à Sa Majesté :

– Le souverain du Hatti nous a envoyés pour voir où se trouvait Sa Majesté.

Pharaon leur dit alors :

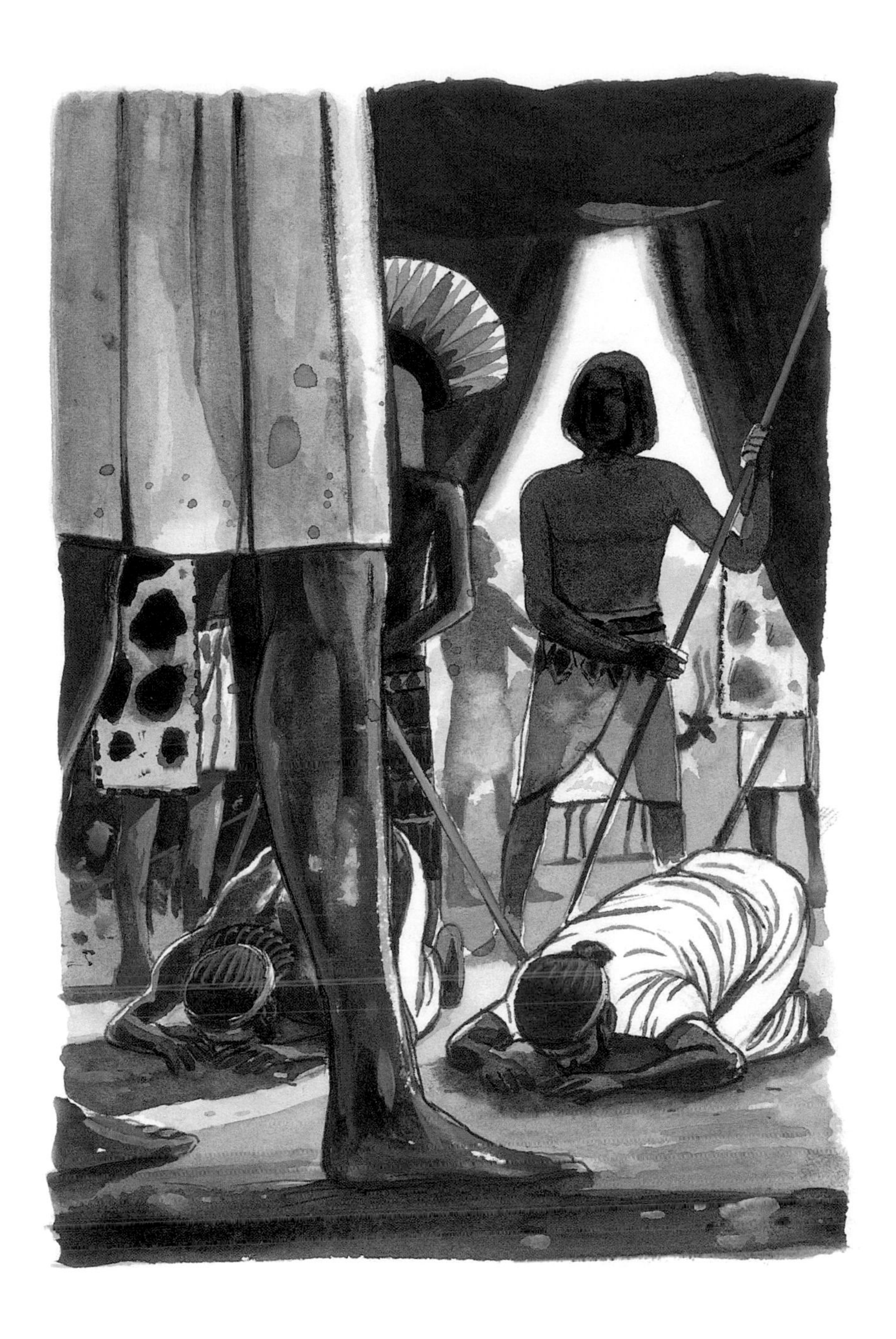

– Où est-il maintenant, ce vil Hatti dont j'ai entendu dire qu'il était en terre d'Alep ?

Ils lui répondent :

– Il est déjà arrivé, il est accompagné par ses soldats et par ceux de ses alliés. Ils se tiennent derrière Qadech, plus nombreux que le sable de la mer !

Stupéfait par cette révélation qui place l'ennemi à proximité, furieux contre ses officiers qui n'ont pas été capables de repérer un adversaire si proche et qui se sont laissé tromper par la ruse des deux bédouins sans nul doute envoyés par le roi des Hittites, Sa Majesté réprimande vertement son entourage. Il s'adresse à son vizir :

– Va, dépêche-toi d'aller vers les divisions de Ptah et de Seth, qui sont toujours dans le bois de Laboui, et dis-leur de se hâter !

Puis il appelle ses serviteurs afin qu'ils lui apportent ses armes, tandis que ses officiers courent rameuter les soldats éparpillés à travers le camp.

Trop tard. Le vil Hatti a lancé ses troupes contre l'armée de Rê, qui traverse alors la plaine de Qadech. Les deux mille cinq cents chars bousculent les soldats égyptiens totalement surpris par un ennemi qu'ils ne savaient pas si proche. Les restes de l'armée se dispersent en tous sens sans offrir aucune résistance aux Hittites, qui foncent vers le campement mal défendu. Et les premiers fuyards parviennent aux portes du camp, poursuivis par les chars ennemis, alors que les soldats de l'armée d'Amon ne se sont pas encore regroupés en ordre de bataille. Incapables de riposter, ils se dispersent à leur tour, sourds aux ordres de leurs officiers. Une horde de chars adverses s'engouffre déjà dans le camp.

Cependant, Sa Majesté ne reste pas inactive, elle rejoint son écuyer Menna.

– Reste calme, ne bouge pas, mon écuyer ! J'irai à eux comme le faucon s'abat sur sa proie. Je les tuerai, les massacrerai et les vaincrai.

Alors, ayant sauté sur son char mené par ses deux fidèles chevaux, il charge l'ennemi innombrable. Plus de deux mille chars sont contre lui. Et tout en chargeant, empli de la colère de Seth et de la fureur de Sekhmet, il s'adresse à Amon :

– Je n'ai aucun de mes officiers, aucun de mes charriers, aucun de mes soldats, je suis seul ! Que t'arrive-t-il, ô mon père Amon ? Est-ce qu'un père peut oublier son fils ? Est-ce que j'ai jamais désobéi à ce que tu m'as ordonné ? Que sont pour toi ces Asiatiques ? Des êtres vils qui ne connaissent pas Dieu. N'ai-je pas construit pour toi de nombreux et grands monuments et empli tes temples de milliers de captifs ? Je t'appelle, ô mon père Amon. Je suis au milieu d'ennemis innombrables. Mon infanterie m'a abandonné et mes charriers s'enfuient. Je crie vers eux, aucun ne m'entend. Mais je sais qu'Amon vaut mieux que des millions de soldats, plus que des centaines de milliers de chars !

Alors, dans un grondement de tonnerre, Sa Majesté voit Amon lui tendre la main et l'entend s'adresser à elle :

– Je suis avec toi, Ramsès-aimé-d'Amon ! C'est moi, ton père, ma main est avec la tienne ! Je suis le maître de la victoire et j'aime la vaillance.

Et Sa Majesté emplit les ennemis d'effroi. Ses charges répétées font hésiter ses adversaires. Peu à peu les soldats de sa garde se ressaisissent. Les farouches Chardanes se regroupent autour de leur maître et se jettent dans la bataille. Les chars égyptiens, éparpillés par la ruée ennemie, se précipitent à leur tour dans le combat. Mais les adversaires sont nombreux et les divisions de Ptah et de Seth sont encore loin. Malgré leur courage et la fureur de

Sa Majesté, les Égyptiens ne peuvent manquer d'être massacrés.

C'est alors que les renforts arrivent. L'armée que Sa Majesté a envoyée par la côte phénicienne rejoint enfin la plaine de Qadech. Ses soldats hâtent le pas en bon ordre, ses chars foncent sur l'ennemi qui, devant cette attaque inattendue, rompt et se replie sur l'Oronte.

Et c'est la débandade. Encouragés par la fureur guerrière de Sa Majesté, les Égyptiens se précipitent à la poursuite de leurs adversaires. Dans le plus grand désordre, ceux-ci se jettent dans l'Oronte pour échapper à la vengeance de Pharaon. Nombreux sont ceux qui, alourdis par le poids de leurs armes, se noient.

Le prince d'Alep, qui a mené l'attaque des armées alliées des Hittites, s'en tire de justesse ; ses serviteurs le sortent

du fleuve et doivent le soulever par les chevilles, la tête en bas, pour qu'il recrache toute l'eau qu'il a avalée.

Enfin, la bataille s'achève. Les cadavres jonchent l'intérieur du camp et la plaine alentour. Les blessés gémissent et appellent à l'aide. Les officiers regroupent leurs soldats et se tournent vers Sa Majesté. Celle-ci se tient sur son char. Les rayons du soleil illuminent sa cuirasse dorée. Un longue acclamation jaillit de la poitrine des soldats. Mais Sa Majesté, emplie de la fureur de Sekhmet, est encore pleine de colère envers eux et leur dit :

– Que vous est-il donc arrivé, mes officiers, mon infanterie, ma charrerie, que vous ayez refusé le combat ? N'ai-je pas fait du bien à chacun d'entre vous, alors que vous m'avez abandonné, seul, au milieu des ennemis ? Que dira-t-on lorsque l'on entendra que vous m'avez abandonné ? Je guidais Victoire-de-Thèbes et Mout-est-satisfaite, mes deux grands coursiers. C'est eux que j'ai trouvés pour me porter secours alors que je combattais des ennemis innombrables. À l'avenir, c'est moi qui les nourrirai chaque jour de leur fourrage, lorsque je serai dans mon palais.

Ayant prononcé ces paroles, Sa Majesté renvoi les soldats mettre de l'ordre dans le campement et sur le champ de bataille.

Les médecins montent des tentes pour accueillir les blessés. Les ennemis capturés sont liés par les mains et conduits en une large colonne jusqu'à Pharaon. Les

soldats ramassent leurs morts pour pouvoir les enterrer selon tous les rites. On coupe la main droite des morts ennemis afin de les rapporter aux scribes qui en feront le décompte.

Pendant ce temps, alors que la nuit tombe, les deux divisions restantes, celles de Ptah et de Seth, rejoignent enfin le champ de bataille.

Sa Majesté a avec elle toute son armée. Malgré l'attaque du vil Hatti, les dégâts ont été minimes. Elle décide de lancer le lendemain un ultime assaut contre les troupes ennemies, au pied de la citadelle de Qadech.

Au matin, Sa Majesté dispose ses troupes en ordre de bataille. Entourée de sa garde et de ses chars, suivie de ses **piquiers** et de ses archers, elle charge

Piquier : soldat armé d'une pique.

Uraeus : cobra représenté dressé, le capuchon ouvert, vibrant de colère, prêt à cracher son venin sur son adversaire. Il est lié aux dieux guerriers Rê et Montou.

furieusement. Le soleil se réflète sur sa cuirasse, l'**uraeus** d'or brille sur sa couronne de lapis-lazuli : il est semblable à Rê dont les rayons consument ses adversaires.
Malgré le massacre, les Hittites sont encore nombreux. Leurs chars, décimés par les pertes de la veille, ne peuvent contre-attaquer, mais leur infanterie tient bon.

Le roi des Hittites, ne pouvant espérer la victoire et voyant la situation sans issue, dépêche à Sa Majesté un messager chargé de lui transmettre ces paroles :

– Tu es Rê-Horakhty, tu es Seth, tu es **Baâl** lui-même et la terreur du Hatti. Ne sois pas violent envers nous. Ta gloire est grande. Tu es venu hier et tu as massacré mes soldats par milliers. Tu es revenu aujourd'hui et tu n'as pas laissé d'héritiers au pays du Hatti. Ne sois pas trop sévère, ô roi victorieux. La paix est plus utile que la guerre, laisse-nous le souffle de la vie.

Baâl : dieu guerrier d'origine phénicienne.

Alors, Sa Majesté accepte la paix implorée par le vil prince du Hatti et chacun des rois ramène ses troupes sur leurs positions initiales, la ville de Qadech restant à son prince.

Ayant pacifié le pays, Sa Majesté s'apprête à rentrer en Égypte. Elle réunit son armée et fait route vers le sud, suivie par des milliers de captifs et par de lourds chariots emplis des trophées de la bataille et des tributs versés par tous les vassaux des pays étrangers.

Enfin, à la fin du premier mois de la saison d'Akhet de l'an 6, Sa Majesté et l'armée victorieuse arrivent dans la ville de Pi-Ramsès.

Sa Majesté va rendre hommage aux dieux, en particulier à son père Amon qui l'a soutenu pendant la bataille. Il lui offre des lingots d'or et d'argent, ainsi que des milliers de prisonniers et de têtes de bétail. Puis il rentre dans son palais et se montre à son peuple de sa fenêtre d'apparitions. Là, tous l'acclament et lui rendent grâces.

L'ARMÉE ÉGYPTIENNE, d'abord nécessaire aux premiers rois pour unir l'Égypte, a ensuite servi à la défense des frontières puis aux conquêtes vers le sud (la Nubie) ou vers l'est (la Palestine). Pendant longtemps constituée uniquement de fantassins, piquiers et archers, elle s'est enrichie, vers 1500 av. J.-C., d'une charrerie, copiée sur celle de ses ennemis asiatiques.

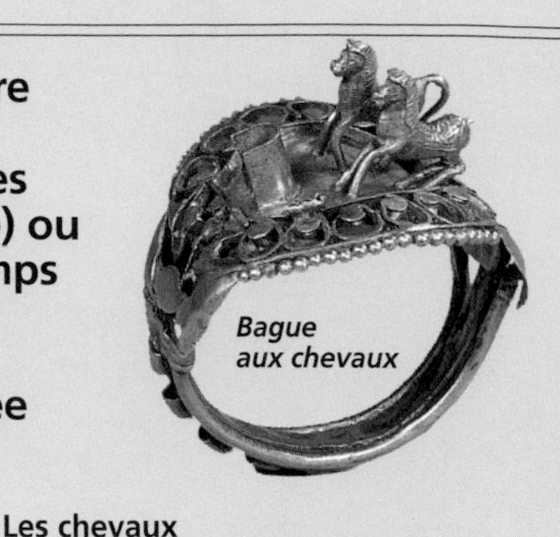

Bague aux chevaux

Départ des soldats pour la guerre

Les chevaux
Les Égyptiens utilisaient les chevaux presque uniquement pour tirer leurs chars de guerre. Les charriers formaient le corps d'élite de l'armée.

Les prisonniers
Souvent nombreux (parfois plusieurs milliers), ils étaient ramenés par le pharaon qui les offrait à ses proches ou aux temples. Ils pouvaient aussi être enrôlés dans l'armée ou installés pour cultiver des terres aux frontières du pays.

La vie des soldats
Les conditions de vie des soldats étaient dures. Il fallait compter sur des marches épuisantes, sur des approvisionnements et des soins médicaux peu sûrs et surtout sur la crainte de mourir en pays étranger et de ne pas recevoir les funérailles appropriées.

Unité de soldats

“Alors, ayant sauté sur son char mené par ses deux fidèles chevaux, Ramsès charge l'ennemi innombrable.”

Poignards

Toutânkhamon chargeant les Nubiens

Prisonnier asiatique

Les armes
Les soldats disposaient de piques, de boucliers de bois, parfois tendus de cuir, de lances, d'arcs, de haches, de **poignards** et de glaives.

L'armée
Elle était constituée d'Égyptiens, mais elle employait aussi des mercenaires recrutés en Nubie ou en Libye.

Pharaon : chef de guerre
La guerre fait partie des activités traditionnelles du pharaon qui repousse les ennemis du pays comme, par ses activités religieuses, il repousse les forces du mal.

Le passage vers l'au-delà

En l'an 39 de Sa Majesté le roi de Haute et Basse-Égypte Ramsès II, moi, Qenherkhepchef, scribe de la tombe du fils de Rê, **Mérenptah**, j'ai accompli tous les rites de passage vers le bel Occident pour mon père, Ramosé.

Lorsqu'il mourut, et après l'avoir pleuré dans sa maison, entouré de toute ma famille et des pleureuses que j'ai fait venir pour lui, j'ai emmené sa dépouille dans la place de Purification afin qu'elle fût préparée pour l'éternité.

Là, sous la direction du prêtre-qui-connaît-les-secrets, qui portait pendant toute l'opération un masque de chien noir, à l'image du dieu **Anubis**, les embaumeurs ont d'abord nettoyé le corps. Ils ont enlevé le cerveau grâce à un crochet passé par les narines, puis ils ont incisé le flanc gauche avec une lame d'**obsidienne** et en ont extrait les viscères, à l'exception du cœur, le siège de l'intelligence et de l'âme. Puis le corps a été placé pendant quarante jours sur une table de pierre et a été recouvert de natron venu de l'oasis du Sel, afin de le dessécher. Pendant ce temps, les

Mérenptah (1213-1204 av. J.-C.) fils de Ramsès II, son successeur

Anubis : dieu patron des embaumeurs

Obsidienne : roche d'origine volcanique qui a la texture du verre.

viscères ont été lavés, enduits de résine et enveloppés de lin avant d'être placés dans quatre vases protégés par les quatre fils d'Horus : Amset, à tête d'homme, veillera éternellement sur le foie, Hapy, à tête de babouin, sur les poumons, Douamoutef, à tête de chacal, sur l'estomac, et Qébehsennouf, à tête de faucon, sur les intestins.

Après ces opérations, le corps a été emmené dans la maison de Beauté, afin d'y être paré. Il a été empli de linges imbibés de résine et d'aromates, puis enveloppé de bandelettes de lin entre lesquelles étaient glissées de nombreuses **amulettes**. Parmi elles, un cœur en jaspe vert, portant une formule magique, a été placé sur son cœur. Une colonnette de papyrus en amazo-

Amulette : objet qui préserve des dangers.

nite verte, la couleur de la renaissance, se trouve sur sa gorge. Un **tit** en jaspe rouge et un **djed** en lapis-lazuli ont été glissés sur sa poitrine. Un repose-tête posé sous son cou lui permettra de redresser la tête à l'heure de la résurrection. Lorsque tout a été fini, un masque doré a été déposé sur sa tête, rappelant la splendeur de sa jeunesse.

Tit : amulette qui est liée à Isis.
Djed : amulette représentant la colonne vertébrale d'Osiris.

Le jour des funérailles, nous avons quitté la place d'Embaumement et sommes remontés vers la demeure d'éternité de mon père. Le cortège s'étirait sur la route. Précédé par les pleureuses, le traîneau portant le cercueil était tiré par des bœufs et par des hommes qui avaient été proches de mon père. Devant lui, un prêtre récitait des formules magiques, et un autre brûlait de l'encens. Derrière suivaient des serviteurs portant le mobilier qui accompagnerait mon père dans son tombeau.

Lorsque nous arrivâmes devant la chapelle funéraire surmontant le caveau, je revêtis une peau de panthère pour procéder aux derniers rituels devant la momie tenue par un prêtre portant le masque d'Anubis. J'enduisis son visage d'onguents, puis je pris une **herminette** afin de pratiquer le cérémonial de l'ouverture de la bouche qui allait permettre à mon père de retrouver le souffle de vie. Tous les rites accomplis, mon père fut mis dans un coffre imitant son corps momifié, accompagné du papyrus du Livre de la Sortie au Jour, qui lui permettra de se présenter sans encombre devant Osiris.

Puis tout fut descendu dans le caveau. Le sarcophage fut placé sur un lit de bois. À proximité se tenait sa statue enveloppée dans une étoffe de lin, le coffre contenant les **vases canopes** et le coffret à **chaouabtis**. Tous ses biens furent entassés tant bien que mal tellement ils étaient nombreux. Il y avait des coffres contenant ses vêtements et un autre renfermant son nécessaire de toilette : son rasoir de bronze, une paire de ciseaux, un miroir, des petits pots à onguents et à parfum faits en verre et en albâtre. Il y avait aussi un fauteuil, une chaise et un tabouret de bois, des nattes de roseaux et des

Herminette : instrument utilisé par les menuisiers pour tailler le bois.

Vases canopes : vases qui contiennent les viscères.

Chaouabtis : statuettes représentant le défunt et chargées d'accomplir pour lui des travaux dans l'au-delà.

tables en bois de palmier. Enfin, nous y ajoutâmes des paniers emplis de victuailles, ainsi que des jarres de vin et de bière, afin qu'il puisse se rassasier et se désaltérer pour l'éternité.

Quand tout fut terminé, un mur de pierre fut construit à l'entrée du caveau pour le sceller et le couloir qui y menait fut rebouché. Désormais, la demeure d'éternité de mon père serait inaccessible et l'on n'en verrait que la chapelle coiffée de la petite pyramide de brique qui la surmontait.

Voici maintenant comment s'est déroulé le jugement du mort, tel que le raconte Ramosé.

Je suis l'**Osiris** Ramosé. Quand je suis mort, mon **ba** s'est envolé en dehors de mon enveloppe charnelle. À l'annonce de mon décès, il ne s'est trouvé personne pour dire du mal de moi. Ainsi, mes funérailles ont pu être accomplies et tous les rituels observés.

Me voici, je suis à l'entrée du royaume d'Osiris et je connais les paroles qui vont me permettre de le traverser dans la barque de Rê pour atteindre la salle des deux Maât où siège le tribunal divin. Je traverse le ciel sur la barque en compagnie du dieu grand et de toute sa suite, je parcours **Rosétaou** pour arriver enfin devant la porte de la salle des deux Maât.

Osiris : le défunt est assimilé au dieu des morts, Osiris.
Ba : représenté par un oiseau à tête humaine, il permet au défunt de circuler entre le monde des morts et celui des vivants.
Rosétaou : partie de la nécropole de Memphis, qui désigne ici, de manière générale, les lieux où résident les défunts.

J'entends alors la voix d'Anubis s'élever de l'intérieur de la salle :

– La voix résonne d'un homme venu d'Égypte. Il connaît nos chemins et nos villes et je m'en réjouis. Mais qui est-il ?

– Je suis l'Osiris Ramosé, dis-je, et je suis venu ici pour voir les grands dieux et pour être **justifié** devant vous.

Justifié : indique que le défunt a passé avec succès les épreuves lui permettant d'accéder au monde des morts.

– Alors, que la pesée de ton cœur ait lieu devant nous, me répond-il.

Puis il me demande :

– Connais-tu le nom de la porte de la salle des deux Maât ?

– Le nom de cette porte est « Tu-écartes-Chou ».

Alors, Anubis me permet d'entrer et me conduit devant le tribunal d'Osiris. Le maître de l'Occident est assis sur son trône. À ses côtés sont assis les quarante-deux juges divins. Une balance est posée au centre de la salle, près de laquelle se tiennent la déesse Maât, garante de la justice, et le dieu Thot, le scribe divin à tête d'ibis. Mon cœur est déposé sur l'un des plateaux et la plume d'autruche, le symbole de Maât, sur l'autre. Que mon cœur pèse plus lourd que la plume et je serai jeté à la Dévorante, ce monstre hybride, à la fois crocodile, hippopotame et lion qui débarrasse le royaume des morts de ceux qui ont péché. Mais je n'en ai pas peur, car je sais la formule qui l'empêchera de parler contre moi :

– Ô mon cœur, ô cœur de ma mère, ne te lève pas contre moi en présence d'Osiris, ne témoigne pas contre moi au jour du jugement.

Puis je me tourne vers le grand dieu et lui dis :

– Salut à toi, grand dieu. Je te connais, je connais ton nom et celui des quarante-deux juges qui sont avec toi dans cette salle des deux Maât.

Je n'ai pas fait le mal.

Je n'ai pas offensé Dieu.

Je n'ai pas appauvri le pauvre.

Je n'ai pas affamé.

Je n'ai pas fait pleurer.

Je n'ai pas tué, ni ordonné de tuer.

Je n'ai pas volé dans les offrandes alimentaires des temples.

Je n'ai pas triché sur les poids et les mesures.

Je n'ai pas ôté le lait de la bouche du nourrisson.

Je n'ai pas empêché l'irrigation des terres.

Je suis pur, trois fois pur.

Le dieu grand se tourne vers la balance et ordonne que mon cœur soit pesé devant tous, sous le regard de Maât. Le plateau sur lequel il est posé ne frémit pas, mon cœur n'est pas plus lourd que la plume de la vérité et de la justice. Alors le maître de l'éternité ordonne à Thot d'inscrire mon nom sur le grand registre des justes. Je ne serai pas jeté à la Dévorante, je ne serai pas plongé dans l'obscurité.

Je suis l'Osiris Ramosé, justifié. J'ai été accueilli parmi les esprits excellents, et chaque jour je sors à la lumière et parcours le ciel dans la barque de Rê. Je suis entré dans le monde inférieur, le royaume du maître de l'Occident, le seigneur de l'éternité, et je travaille dans les champs d'Ialou où je laboure et récolte pour lui. Puissent les vivants entretenir mes offrandes dans ma chapelle funéraire, puissent-ils y renouveler les paroles rituelles en ma faveur !

LA MORT est le moment du passage vers une nouvelle vie. Le pharaon rejoint les dieux, tandis que les autres hommes rejoignent le monde d'Osiris, qui ressemble au monde des vivants. Pour cela, il faut protéger le corps, le momifier, et l'entourer de ce qui lui permettra de survivre et de retrouver son univers familier.

Découverte d'une tombe
En 1922, Howard Carter fait l'une des plus grandes découvertes archéologiques, celle de la tombe, pratiquement intacte, du pharaon Toutânkhamon.

Les pleureuses
Avant la mise au tombeau, les femmes de la famille et les voisines se lamentent, un bras levé au-dessus de la tête, en un geste que l'on retrouve encore aujourd'hui en Égypte.

Les sarcophages
Dans un premier temps c'étaient de grandes caisses rectangulaires en pierre ou en bois. Puis vinrent les boîtes en forme de momie, parfois au nombre de deux par défunt, qui s'emboîtaient l'une dans l'autre.

“Moi, Qenherkhepchef, scribe de la tombe du fils de Rê, j'ai accompli tous les rites de passage vers le bel Occident pour mon père.”

Rituels des morts

Les rituels
Assimilé à Osiris, le défunt est veillé par Isis et Nephthys qui se lamentent.
À côté, Anubis et Horus entourent le mort transformé en pilier-djed.

Jugement devant Osiris

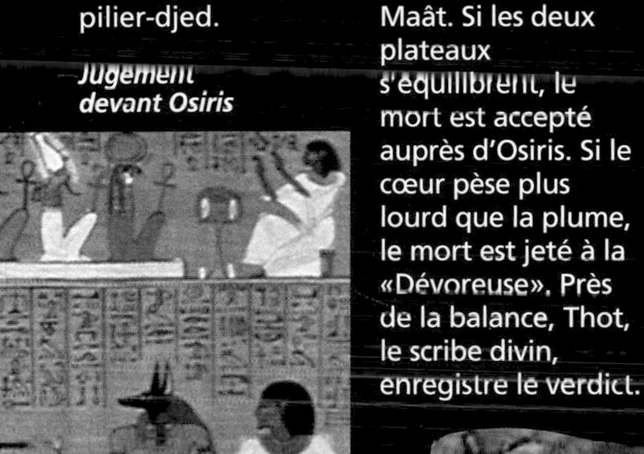

Le jugement devant Osiris
Devant Osiris, le cœur du défunt est pesé sur une balance dont l'autre plateau reçoit la plume de la déesse Maât. Si les deux plateaux s'équilibrent, le mort est accepté auprès d'Osiris. Si le cœur pèse plus lourd que la plume, le mort est jeté à la «Dévoreuse». Près de la balance, Thot, le scribe divin, enregistre le verdict.

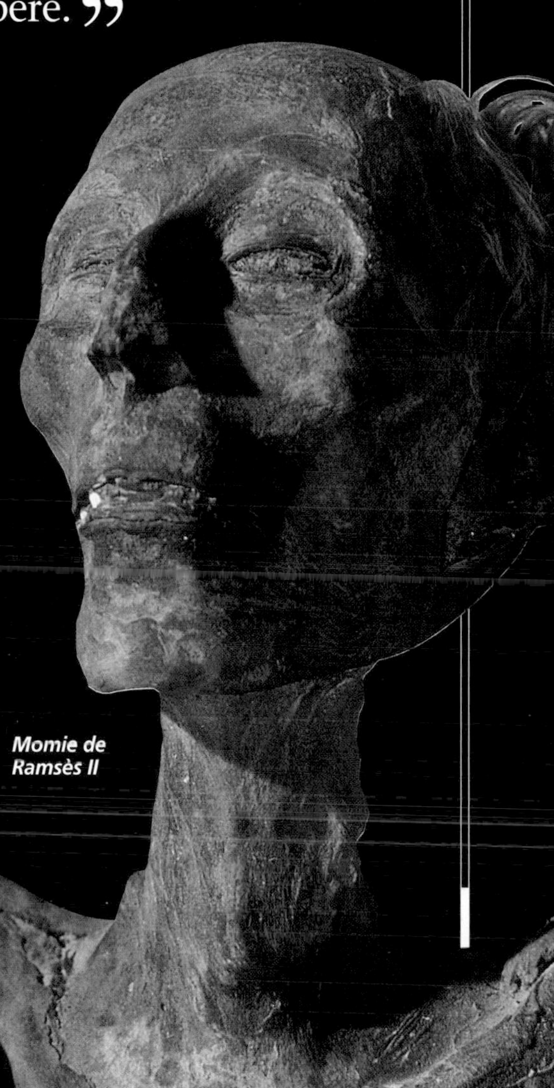
Momie de Ramsès II

LES SOURCES DES RÉCITS

Les sources étrangères

Les récits présentés ici proviennent essentiellement de sources égyptiennes d'époque pharaonique. Seuls deux auteurs non égyptiens ont été sollicités : Hérodote (voyageur et historien grec du Ve siècle av. J.-C.) à qui nous avons emprunté des éléments de la description du processus de momification employé par les Égyptiens, dans *Le passage vers l'au-delà,* et Plutarque (auteur grec du Ier siècle) qui nous a apporté le récit de *La quête d'Isis*.

Auteurs inconnus
Nous ignorons presque tout des auteurs des contes et des récits mythologiques. Quelques noms apparaissent, mais la personnalité même de ces scribes nous échappe. Il faut dire qu'un artiste égyptien ne se définit jamais que comme un bon artisan, et non comme un créateur au sens moderne du terme.

Les sources égyptiennes

Les autres récits ont pour auteurs des Égyptiens, principalement de l'époque pharaonique. Un seul, *Le livre de Thot,* a été écrit à l'époque ptolémaïque (entre le IVe et le Ier siècle av. J.-C). Encore fait-il référence à des événements bien antérieurs et est-il sans doute le résultat d'un récit transmis oralement ou par écrit depuis plusieurs siècles.

Les auteurs

Certains de ces récits sont «signés». Ainsi le scribe Pentaour a-t-il écrit l'histoire de *La bataille de Qadech* quatre ans après les événements. *Le conte du naufragé* est l'œuvre du scribe Amenaâ, qui vécut sans doute vers 1800-1780 av. J.-C., tandis que *Le conte des deux frères* est celle du scribe Ennena, qui l'écrivit sous le roi Siptah (vers 1193-1187 av. J.-C.).

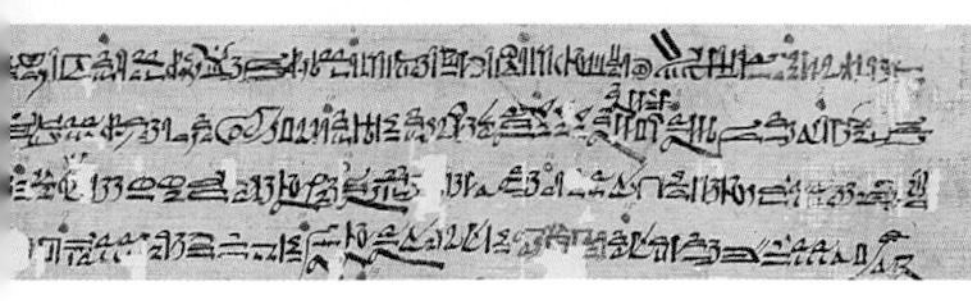

Écriture hiératique

Écriture démotique

Le support des textes : le papyrus

La plupart des récits égyptiens ont été retrouvés sur des papyri. Le papyrus est un support très fragile, ce qui explique que bien des récits nous soient parvenus incomplets et soient parfois impossibles à reconstituer. En revanche, certains, comme *Le Conte du naufragé*, en dépit de la fragilité de leur support, ont été conservés parfaitement intacts.

L'écriture égyptienne

Les hiéroglyphes existent depuis la fin du IVe millénaire avant notre ère (vers 3200 av. J.-C.). Vers 2680 av. J.-C. apparaît une nouvelle forme d'écriture, le hiératique, remplacée petit à petit (vers 660 av. J.-C.) par une autre forme, le démotique. Les récits égyptiens ont été rédigés dans ces deux dernières écritures et plus particulièrement en hiératique car les textes littéraires qui ont été retrouvés sont, dans leur grande majorité, antérieurs à l'apparition du démotique.

Les éditions modernes

À l'exception des récits de *La bataille de Qadech* et du *Passage vers l'au-delà*, récrits à partir de sources diverses, tant écrites que figurées, les contes égyptiens présentés ici ont été publiés de manière plus scientifique dans plusieurs ouvrages dont ceux de G. Lefèbvre, *Romans et contes égyptiens de l'époque pharaonique* (Maisonneuve, 1976), et de Cl. Lalouette, *Textes sacrés et textes profanes de l'ancienne Égypte* (Gallimard, 1984 et 1987).

Le hiératique
Le hiératique est une forme cursive de l'écriture hiéroglyphique. On la note au calame (roseau) sur papyrus, cuir, poterie.

Le démotique
C'est une forme simplifiée du hiératique. Comme ce dernier, il s'écrit toujours horizontalement et de droite à gauche.

Les hiéroglyphes
Les signes hiéroglyphiques ne sont pas alignés à la suite les uns des autres mais disposés de façon à composer un carré imaginaire. Ces signes peuvent être écrits soit de droite à gauche, soit de gauche à droite. Les signes animés, représentés de profil, indiquent le sens de la lecture, vers lequel ils sont toujours tournés.

Crédits photographiques

h : haut b : bas d : droit g : gauche c : centre

3 Scarabée, schiste glaçuré, Nouvel Empire, Louvre © RMN, Paris.

16 h : Amon Ré, bronze, basse époque, coll. musée du Louvre, Paris © RMN ; b : Isis allaitant le dieu Horus enfant, bois stuqué peint et doré, période ptolémaïque, coll. musée du Louvre, Paris © RMN ; d : la déesse Selkis et Nephty, détail, tabernacle des canopes, coll. Musée du Caire © Arthephot/M. Babey ; h : représentation allégorique du monde, papyrus funéraire de Nespakachouti, coll. musée du Louvre, Paris © RMN.

17 d : Osiris, buste de face en bois, pâte de verre et cuivre, période ptolémaïque, coll. musée du Louvre, Paris © RMN ; c : Thot, bas relief, vallée des Rois, Thèbes © The Bridgeman Art Library ; d : stèle de la Dame de Taperet, verso, la Dame devant le Dieu Atoum, basse époque, coll. musée du Louvre, Paris © RMN.

24 d : faucon égyptien © Bios ; c : ibis sacré © Denis-Huot/Bios ; b : statuette d'ibis sacré (Thot zoomorphe) en bois et bronze, basse époque, coll. musée du Louvre, Paris © RMN.

25 hd : le Nil, pêchers et bananiers en fleurs © Hugues Fougère/Bios ; d : crocodile du Nil © Denis-Huot/Bios ; dc : statuette du dieu crocodile Sobek, bronze, basse époque, coll. musée du Louvre, Paris © RMN cd : hippopotame © Martin Harvey/Bios ; bd : statuette d'hippopotame, faïence bleue, Moyen Empire, coll. musée du Louvre, Paris © RMN.

36 h : encensoir, tige de papyrus terminée par une tête de faucon en bronze, basse époque, coll. Louvre, Paris © Artephot ; b : porteuses d'offrandes de Nakhti Assiout, bois, Moyen Empire, coll. musée du Louvre, Paris © RMN ; c : vue aérienne d'Edfou, le temple d'Horus © Yann Artus Bertrand/Altitude.

37 h : temple de Ramsès II, temple d'Abydos, offrande, XIXe dynastie, relief peint, © Artephot/Silvio Fiore ; b : statuette de la déesse Maât, bronze, coll. musée du Louvre, Paris © RMN.

48 d : Chéphren de Giza, coll. musée égyptien, Le Caire © Scala ; h : cartouche de Sesotris, coll. musée égyptien, Le Caire © Scala ; b : deux sceptres royaux, XVIIIe dynastie, proviennent de la tombe de Toutânkhamon, coll. musée égyptien, Le Caire © Giraudon.

49 h : Edfou, temple d'Horus, couronnement de Ptolémée VII Évergète © AKG ; d : Giza, le sphinx © Mauritus/SDP ; b : la triade de Mykérinos, coll. musée égyptien, Le Caire © Scala.

60 h : grande jarre à vin avec marque incisée, terre cuite, époque thinite, coll. musée du Louvre, Paris © RMN ; c : felouque sur le Nil © Hugues Fougère/Bios ; b : maquette de bateau de la tombe 366, Beni Hassan, bois peint et lin, collection Fitzwilliam Museum, Université de Cambridge © The Bridgeman Art Library

61 hc : tombe de Rekhmiré, de Mena, fresques © IBM ; d : arbre à Encens © Tristan Lafranchis/Bio

78 h : crue du Nil © Roger-Viollet ; c : modèle de laboureur, bois peint, coll. musée du Louvre, Paris © RMN ; b : la présentation du bétail, modèle de bois peint, coll. musée égyptien, Le Caire © Babsy/Artephot.

79 h : Nebanum, sa femme et sa fille à la chasse, mur peint, Thèbes, XVIIIe dynastie, coll. British Museum © The Bridgeman Art Library.

92 h : statue du scribe Nebmertouf et Thot, schiste, Nouvel Empire , coll. musée du Louvre, Paris © RMN ; d : tablette d'écolier, papyrus, couteau à bois, Nouvel Empire, coll. musée du Louvre, Paris © RMN.

93 h : modèle de grenier avec scribes enregistrant la rentrée du grain provenant de la tombe de Nakhti, vue de dessus, bois stuqué peint, Assiout, Moyen Empire coll. musée du Louvre, Paris © RMN ; b : le scribe accroupi, calcaire peint, Ancien Empire, Ve dynastie coll. musée du Louvre, Paris © RMN.

108 d : départ des soldats pour le Pount, bas relief du temple d'Hatshepout, Deir-el-Bahari © Giraudon ; h : bague aux chevaux, or cornaline, fin XVIIIe dynastie, coll. musée du Louvre, Paris © RMN ; b : modèle de guerriers, coll. Musée égyptien, Le Caire © Dagli-Orti.

109 g : dagues et fourrreau, or, XVIIIe dynastie , coll. musée égyptien, Le Caire © Gallimard – L'Univers des Formes ; d :Toutänkhamon chargeant les Nubiens, XVIIIe dynastie, collection musée égyptien, Le Caire © Dagli-Orti ; c : prisonnier asiatique, faïence, Nouvel Empire, coll. musée du Louvre, Paris © RMN.

120 h : Howard Carter, collection The illustrated London News Picture Library © The Bridgeman Art Library ; d : sarcophage de la Dame Madja, bois peint, coll. musée du Louvre, Paris © RMN ; c : l'adieu au mort, Livre des Morts d'Ani © British museum ; b la pesée du cœur, papyrus d'Hunefer, © British museum.

121 h : papyrus d'Hunefer © British Museum ; c : papyrus, coll. BNF ; d : momie de Ramses II, XIXe dynastie, collection musée du Caire © Dagli Orti.

122 Le scribe accroupi, calcaire peint, Ancien Empire, Musée égyptien, Le Caire.

123 h : *Manuscrit de la grammaire égyptienne* © Bibliothèque nationale, Paris ; d : *idem.*

BIBLIOGRAPHIE

L'Égypte et la Grèce antique, Découvertes Junior, Gallimard Jeunesse, 1996.

George Hart, *Mémoire de l'Égypte*, Yeux de la découverte, Gallimard, 1990.

David Murdoch, *Les trésors de Toutankhamon*, Les Yeux de l'histoire, Gallimard Jeunesse, 1999.

James Putman, *Le roman des momies*, Yeux de la découverte, Gallimard, 1995.

Alain Quesnel, *Mythes et légendes : l'Égypte*, Hachette Jeunesse, 1991.

Judith Simpson, *L'Égypte ancienne*, Nathan, 1996.

Philip Steele, *Vivre comme les Égyptiens*, De La Martinière Jeunesse, 1998.

Olivier Tiano, Michel Coudeyre, *Ramsès II et son temps*, Mango.

SITES INTERNET

GÉNÉRAUX

http://histgeo.free.fr/sixieme.html

http://www.ifao.egnet.net/

http://www.civilisations.ca/membrs/civiliz/egypt/egyptf.html#menu

http://www.ac-amiens.fr/lycee80/lahotoie/bacinfo/egypte/pages/Egypte.html

VISITER LE LOUVRE

http://www.louvre.fr/francais/visite/ae/ae_f.htm

http://www.louvre.fr/francais/collec/ae/ae_f.htm

Direction éditoriale : Maylis de Kerangal
Direction artistique : Elisabeth Cohat

SUR LES TRACES DES DIEUX D'ÉGYPTE

Graphisme : Raymond Stoffel, Christine Régnier
Coordination éditoriale : Françoise Favez
Iconographie : Anaïck Bourhis